JN037163

2030 未来への分岐点 I

持続可能な世界は築けるのか

NHKスペシャル取材班［編著］

NHK出版

はじめに

「未来の人類に誇れる10年にしたい」

2021年1月から7月にかけて放送した、NHKスペシャル「2030 未来への分岐点」。シリーズのキャッチコピーとして、われわれ取材班が掲げたのがこのフレーズだった。

飽くなき資源の大量消費、人口爆発と食料問題、そして加速する温暖化……かつてないほどの劇的な変化が、地球に、そして私たちの社会に生じている。さらには、止めどなく進化を続けるAIやバイオ工学などのテクノロジー。人間社会に大きな便益をもたらすと期待される一方で、使い方を誤れば大きなリスクとなる可能性をはらんでいる。

いま、私たちが直面しているこうした世界規模の諸問題において重大な〝分岐点〟になるのが、2030年だと言われる。危機を回避するためには、この10年における私たちの行動と選択が、人類の未来にとって決定的に重要になる――先のフレーズに込めたメッセージだ。

シリーズを制作していくにあたって、心がけていたことが二つある。一つは、視聴者のみなさんに、問題を〝自分事〟として捉えてもらえるように提示することだ。

たとえば、地球温暖化について。近年発生している、記録的猛暑や多発する豪雨災害になんとなく不安を覚える人もいるだろう。と同時に、「温暖化によって、自分の暮らしが大きく変わることはないだろう」と漠然《ばくぜん》と考える人もいるだろう。

しかし、最先端の科学は、温暖化対策が十分に講じられなかった場合、私たちの日常が根本から破壊されてしまうリスクが増大し、ひいては人類の存続そのものが脅かされてしまうというビジョンを示す。こうした展望をリアリティをもって受け止めてもらうため、シリーズでは問題を放置したとき、私たちの暮らしが具体的にどう変わってしまうのか――、〝暗黒の未来〟とはいかなるものか――、世界中の科学者に協力を仰ぎ、可視化することを目指した。

そして、もう一つ大切にしていたのが、具体的な解決策を伝えることだ。「私たちに何ができるのか」を探るため、世界の最前線を取材した。

温暖化をはじめとする深刻な環境問題や貧困や格差などの社会課題への取り組みについては、とりわけ、若い世代の活躍がめざましい。たった一人で〝気候ストライキ〟を始め、世界全体へとムーブメントを波及させたスウェーデンのグレタ・トゥーンベリさんを筆頭に、多くの若者がＳＮＳを駆使して仲間とつながり、これまでの常識にとらわれることなく新たな価値観でアクションを起こしている。彼ら・彼女らがどのように考え、どのように行動しているのか。私たちが問題に向き合ううえで重要なヒントを与えてくれるはずだと考えた。

そうして、２０２１年、ＮＨＫスペシャル・シリーズ「２０３０ 未来への分岐点」の〈Season 1〉として、「暴走する温暖化 〝脱炭素〟への挑戦」（１月９日放送）、「飽食の悪夢 水・食料クライシス」

（2月7日放送）、「プラスチック汚染の脅威　大量消費社会の限界」（2月28日放送）という三つの番組が制作された。本書はその書籍化である。

本書の構成を簡単に説明しておこう。番組と連動する各部は、まず担当したディレクターが取材成果に基づいて、現状を報告する（「いま何が起きているのか」）。次に、〝世界の賢者〟たちが自らのビジョンを開陳する、「インタビュー」へと進む。

話を聞いたのは、科学者から、現場で課題解決に取り組む専門家、卓越した発想力を武器に行動する若きイノベーターまで幅広い。ジャーナリストの国谷裕子《くにやひろこ》さんがインタビュアーを務めていることも特筆すべきだろう（国谷さんが担当したのは第1部と第2部）。環境問題やSDGs（持続可能な開発目標）に深い関心を寄せ、発信を続けてきた国谷さん。その鋭い問題意識が時にわれわれ取材班を導き、番組制作を後押ししてくれた。そしてふたたびディレクターが、インタビューの内容を引き取りつつ、「未来への展望」を描く。先述したような若者たちの取り組みをはじめ、取材した世界各地の実践を選りすぐって解決策として紹介する。

本書の基調をなすのは、地球温暖化問題の権威であるヨハン・ロックストローム氏が第1部のインタビューで語る、「人類が地球における支配的な勢力となってしまった」という問題意識だ。地球が人類の活動を受け止めきれなくなっており、それが、温暖化、水・食料危機、プラスチック汚染というかたちを取って表れている。

もはや、人類は〝これまで通ってきた道〟をそのまま歩んでいくことはできない。私たちは地球の未来に対して、そして将来の世代に対して、途方もなく大きな責任を背負っているのだ。

制作期間中、世界を大きく変える事態が起きた。新型コロナウイルス感染症のパンデミックである。2020年4月に発出された1回目の緊急事態宣言下では、スタッフ全員がいったんプロジェクトを離れ、新型コロナ関連の番組制作にあたることになった。

シリーズの制作再開にあたっては、コンセプトを〝アフター・コロナ〟を見据えたものにシフトせざるをえず、取材対象についても再考を余儀なくされた。しかしそのとき私の脳裏をよぎったのは、『2030』のメッセージはより重要性を増し、より射程を広げるだろう」という思いだった。

いまなお、苦闘が続くパンデミックから、どのような教訓を受け取るべきか。私は何をおいても、科学の警告には注意深く耳を傾けなくてはならない、ということだと考えている。かねてより、世界の疫学者たちは未知のウイルスによるパンデミックと、それによって発生する人的・経済的被害の甚大《じんだい》さを予測し、備えの必要性を訴え続けていた。しかし、世界はそのあり方を省みることをしなかった。

今回、われわれの取材に応じた科学者たちはそろって、冷厳な未来予測を告げた。コロナ・パンデミックによって、〝暗黒の未来〟が現実のものとなること、そして世界は相互に関連し、自分の行動一つひとつが社会に大きな影響を与えることを身をもって知った私たちは、彼らの突きつける課題に真摯《しんし》に取り組むしかないのだ。

NHK大型企画開発センター　チーフ・プロデューサー

松木秀文

目次

第 1 部

灼熱の星、地球

南アフリカを襲った大干ばつは、気候変動の影響とも言われている
（画像提供／Shutterstock）

いま何が起きているのか

暴走する温暖化――「脱炭素」への挑戦

山下健太郎（ＮＨＫ大型企画開発センター）

世界が直面している最大の課題の一つ、地球温暖化。近年、国内外で気候変動を巡る議論が活発化し、若い人たちを中心に多くの人のあいだで、この問題に対しての危機意識が高まっている。温暖化は私たちの暮らしや人類の未来にどのような影響を及ぼすのか。そして最悪の事態を回避する道はあるのか――。ありうべき未来を構想するためには、現状を正確に理解することが不可欠である。地球でいま何が起きているのか、われわれは、最前線の現場取材からスタートすることにした。向かったのは、北極圏グリーンランド。新型コロナウイルスによるパンデミックが始まるより前、２０１９年６月のことだった。

地球温暖化は長い時間をかけて進行していくため、その実像が捉えにくい。しかし、全面積の８割、約１７３万平方キロメートルが氷に覆われたこの世界最大の島では、すでに異変が目に見えるかたちで表れていた。

見渡す限りの白い大氷原。テントを張って野営しながら内陸の氷床《ひょうしょう》の上を進んでいると、時折、青色を発する氷上湖が目に入ってくる。氷が溶け出し、水が溜《た》まってできた巨大な湖だ。案内してくれたツアーガイドによれば、これまでも氷上湖は確認されていたが、ここ数年、その数が飛躍的に増大しているという。２０１９年のアメリカ地球物理学連合の年次集会では、この20年間で30パーセント近く湖の数が増えたという報告も出されている。

降った雪が積もることで形成される氷床は、自らの重みによって内陸から沿岸部へと流れ、氷河となって海へ放出される。その現場をカメラで捉えようと観光船に乗り込み、海に出た。高層ビルほどの高さはあろうかという巨大な氷河が轟音《ごうおん》を立てて、目の前で海へと崩れ落ちていった。この道30年だという地元のベテラン船長は、これまで陸地を覆っていた氷が消え、岩肌が剝《む》き出しになってしまった、とため息をついた。

「このままいけば、あと10年でこのあたりの風景はすっかり変わってしまうでしょう」

２０１９年の1年間だけで、溶けた氷の量は５３２０億トン。観測史上最大となったことが明らかになった。どれほどの量か。溶けた水を東京23区に注ぎ込んだとしたら、東京タワーを超え、スカイツリーをも超える、水位８００メートル以上に達する。それだけ膨大な氷が毎年のように失われているのだ。

人類に残された時間は10年

長年、科学者たちが警鐘を鳴らし続けてきた地球温暖化。われわれがより強く危機を認識するきっかけとなったのは、2018年に発表された一つの報告書だった。IPCC（気候変動に関する政府間パネル）による、「1・5℃特別報告書」である。

IPCCとは、1988年にWMO（世界気象機関）とUNEP（国連環境計画）によって設立された政府間組織だ。専門家たちが、世界中の科学者が発表した膨大な数の論文を分析して、人間の活動に由来するとされる気候の変化や、温暖化が社会や暮らしへ与える影響などを評価してまとめている。195の国と地域が参加するIPCCの報告書は、国際的な気候変動対策に科学的根拠を与える最重要文書と言っても過言ではない。

1990年の第一次報告書に始まり、2014年までに五つの評価報告書を発表している。2007年には、「人為的に起こる地球温暖化の認知を高めた」として、アル・ゴア元アメリカ副大統領とともにノーベル平和賞を受賞した。IPCCの貢献もあって、年を追うごとに「地球が温暖化していること」、そして「温暖化の原因が人類の活動であること」は世界的に広く知られるようになり、ごく一部の懐疑論を除いて、〝人為起源による地球温暖化〟は科学的な共通認識となった。「1・5℃特別報告書」は第六次報告書を待たずして作成されたが、その背景にあるのは、2015年に採択されたパリ協定[★1]だ。同協定には、次のように記されている。

> 世界全体の平均気温の上昇を工業化以前よりも2℃高い水準を十分に下回るものに抑えること並びに世界全体の平均気温の上昇を工業化以前よりも1・5℃高い水準までのものに制限するための努力を（略）継続する。（パリ協定第2条1〈a〉）

世界の平均気温（産業革命前との比較）

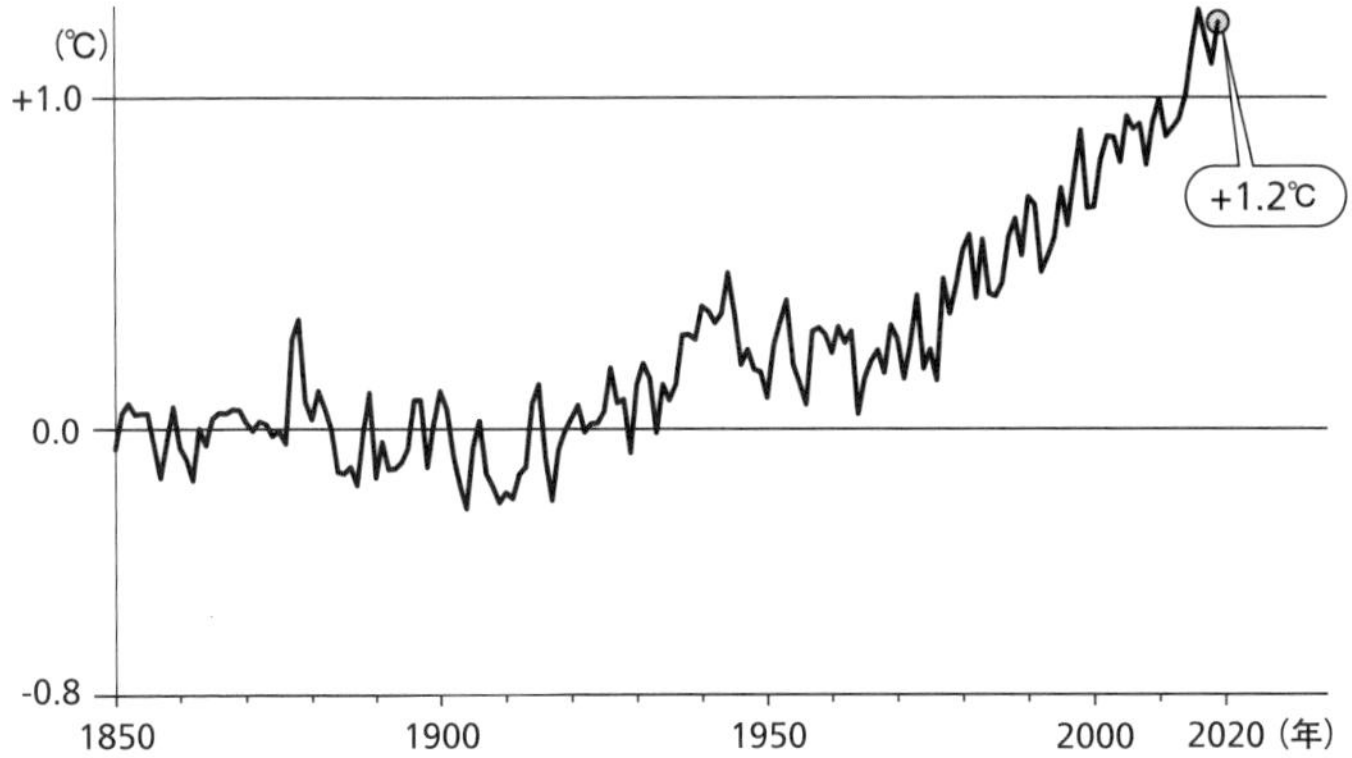

データ出典：IPCC 第六次報告書

「1・5℃特別報告書」のねらいは、パリ協定で掲げられた目標を踏まえたうえで、地球が工業化以前の水準から1・5℃温暖化したらどのような影響が出るのか、さらに気温上昇を1・5℃に抑えるためには、世界の温室効果ガス排出量をどのように減らしていく必要があるのか、示すことにあった。以下に、その内容を要約して紹介する。

●人間の活動は約1℃の地球温暖化をもたらしたと推定される。現在の速度で温暖化の進行が続けば、2030年から2052年のあいだに1・5℃に達する可能性が高い。

●極端な熱波や洪水などによる被害、生態系への影響、水供給や食料安全保障（143ページ参照）など社会・経済への影響に関するリスクは、現在よりも「＋1・5℃」、そして「＋1・5℃」よりも「＋2℃」の方が明確に高い。

温暖化がこのまま進行すれば、早ければ2030年にパリ協定の努力目標である1・5℃に到達し、人類はさまざまな危機に直面するという予測である。つまり「1・5℃目標」を達成するために人類に残された時間は10年余りしかない、という厳しい現実が突きつけられた。

さらに時期を同じくして、重要な論文が発表された。温暖化研究の世界的権威であるポツダム気候影響研究所のヨハン・ロックストローム氏らが、2018年に米国科学アカデミーが発行する機関誌『PNAS（米国科学アカデミー紀要）』に寄せた、「ホットハウス・アース理論」である。詳細は、本稿に続くロックストローム氏へのインタビューに譲るとして、ここではその大枠だけを示しておこう。

気温が「+1・5℃」を超えてさらに上昇して、「+2℃」に近づいたときに、何が起こるか。地球のシステムがティッピング・ポイント（臨界点）を超えてしまい、たとえ人類がそのあとで温室効果ガスの排出をゼロにしたとしても、温暖化が止まらなくなる。最終的に、「+4℃」に達する可能性がある、というのである。

「+4℃」という〝灼熱の星〟と化した地球では、深刻な熱波の発生にとどまらず、グリーンランドや南極の氷床が融解することによる海面上昇、強力化した台風による豪雨災害などによって、膨大な数の人間が住みかを追われると言われる。地球に巨大な負荷をかけ続けてきた人類は、とてつもないしっぺ返しを受けることになるのだ。

★1　パリ協定は、2020年以降の気候変動問題に関する国際的枠組みとして、2015年のCOP

21（国連気候変動枠組条約第21回締約国会議）において合意された。途上国も含むすべての主要排出国を対象に、1・5℃目標を実現するために、「できるかぎり早く世界の温室効果ガス排出量をピークアウトし、21世紀後半には、温室効果ガス排出量と（森林などによる）吸収量のバランスを取る」という長期目標が立てられている。2016年11月4日に発効、主要排出国を含む180か国およびEUが締結（2020年12月時点）。アメリカのジョー・バイデン大統領は就任当日、トランプ政権下で離脱したパリ協定に復帰する文書に署名した。

永久凍土と未知のウイルス

地球温暖化の何が問題なのかを把握している人はどれだけいるだろうか。

「北極や南極の氷が溶けるだけでしょ？」「昔に比べれば、夏の最高気温は高くなった気がするけど、それくらいなら問題ないのでは？」「煙をたくさん出す工場をなんとかすればいいのであって、自分には関係ない」などと考える人は少なくないはずだ。

温暖化の原因となる二酸化炭素などの温室効果ガスの排出量の増加は、私たちの生活と切っても切り離せない。火力発電所でつくられた電気で冷暖房を動かして快適な部屋で過ごし、ガソリンで走る車に乗って自由に移動し、生産や流通のプロセスで温室効果ガスを発生させる家畜の肉に舌鼓《したつづみ》を打つ。私たちは、地球環境の悪化と引き換えに、便利さや豊かさを享受しているのだ。

一人ひとりの意識や行動の変容なくして、温暖化を引き起こす社会や経済のシステムチェンジはなし遂げられない。ポイントは、危機を〝自分事〟として捉えられるか、だ。しかし前述のとおり、温暖化の実像を把握することは難しい。地球規模で100年単位の長期的な変化を〝自分事〟として受け止めるのは、それほど容易なことではない。

たとえば、IPCCの「1・5℃特別報告書」に、「＋2℃」によって引き起こされる事態を予測する、次のような記述がある。「1976〜2005年を基準として、洪水による影響を受ける人口が170パーセント増加する」。「影響を受ける人口」に日本に住む自分が含まれているのか、にわかにはイメージできないのではないだろうか。

地球温暖化はどこか遠い場所の遠い将来に起きることではなく、〝いまそこにある危機〟なのだと実感できる科学的なファクトはないのか。

ここで、ある論文を紹介したい。2014年に、フランスのエクス・マルセイユ大学のジャン＝ミシェル・クラブリー氏とシャンタル・アベルジェル氏の研究グループが、『PNAS』に発表したものだ。彼らは、北極圏シベリアの永久凍土のサンプルから、3万年前のウイルス「モリウイルス」を発見した。研究グループはウイルスを培養し特定のアメーバを対象に実験を行ったところ、ウイルスはアメーバに感染して12時間で1000倍に増殖。そして、アメーバを死滅させたという。

パンデミックの渦中にある2021年の私たちは、この論文のインパクトを発表当時とはまったく異なる深度で受け止めることができる。新型コロナウイルスの起源についてはさまざまな議論があるが、野生動物との接触がきっかけとなったという説の信ぴょう性が高く、地球環境問題と感染症との関係を論じる研究が世界中で注目を集めているのだ。

２０２０年６月には、シベリアは38℃という観測史上最高の異常な高温を記録した。温暖化によって、数万年溶けずにいた永久凍土の融解が急速に進んでいる。幸い、モリウイルスにヒトへの感染性はなかったが、今後、封じ込められていた古代のウイルスが永久凍土から蘇《よみがえ》る可能性もある。その中にはヒトに感染し、病原性をもつものもあるかもしれない。

急いで付け加えるなら、北極圏では、石油採掘をはじめとした資源開発★2がいまだ行われているのが現状だ。人間の活動領域が拡大すれば、必然的に未知のウイルスとの接点も増えていく。

危機感を覚えた研究者は、２０２０年、ＷＨＯ（世界保健機関）に送った連名の意見書を公開した。そこには「永久凍土はまさにパンドラの箱である」と書かれていた。モリウイルスを発見した研究者の一人、アベルジェル氏は次のように語る。

「古代の病原体が新たな感染症の流行をもたらす可能性は高いのです。地球温暖化による感染症のリスクを避けるために、さらに研究を進めて、危機に備えておかなければなりません」

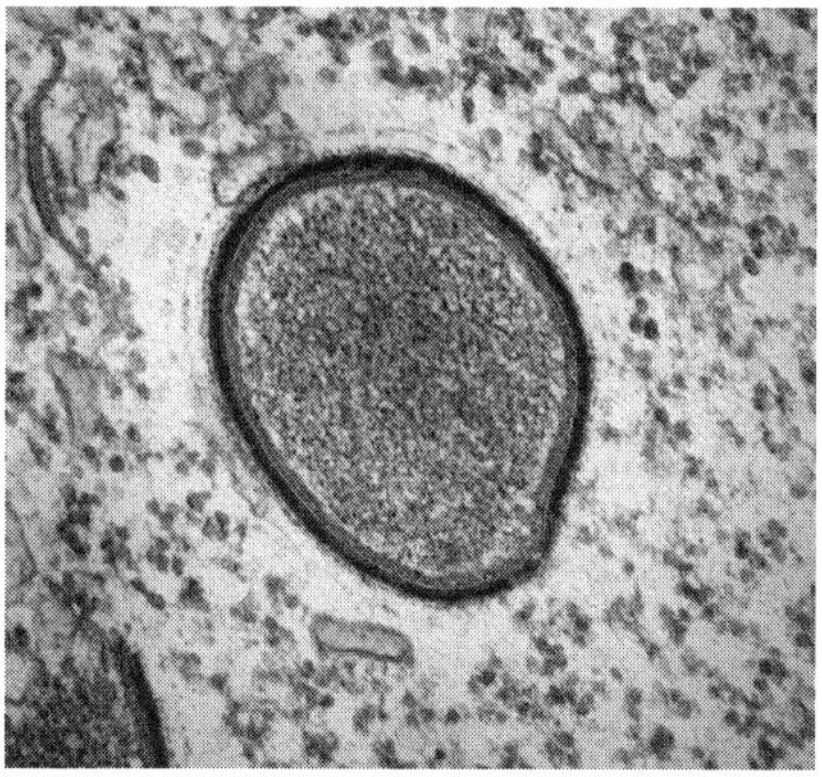

シベリアの永久凍土から発見された「モリウイルス」
（画像提供／シャンタル・アベルジェル）

★2　２０２１年５月、北極圏周辺の８か国（アメリカ、ロシア、カナダ、デンマーク、フィンランド、アイスランド、ノルウェー、スウェーデン）が参加する北極評議会の会合がアイスランドの首都レイキャビクで行われ、温暖化対策の必要性などを訴える「レイキャビク宣言」に署名された。会合では、資源開発によってもたらされるリスクについても言及があり、持続可能な開発に向けた、今後10年の戦略計画も採択されることとなった。ただし、ロシアは北極圏における資源開発計画や軍事活動を積極的に進めており、評議会参加国の足並みがそろうかどうかが懸念されている。

温暖化で日本はどうなるのか

温暖化は、私たちが暮らす日本にも深刻な影響を与えるとの予測がある。環境省が2020年に発表した、「気候変動影響評価報告書」。この報告書の特徴は、温暖化が進むとどうなるのか、日本社会を対象にした研究を評価してまとめている点にある。農林水産業などの産業、洪水や高潮といった自然災害など、さまざまな領域で日本はどのように温暖化の影響を受けるのか400ページ以上にわたり網羅的に整理されている。

報告書に掲載された研究の中で、特に目を引いたのが、筑波大学計算科学センター教授・日下博《くさかひろ》幸《ゆき》氏の研究チームが、最新の気象モデルを用いて行ったシミュレーションである。日下氏は、ヒートアイランドをはじめ都市気候の解明に取り組む暑熱研究の第一人者だ。このまま化石燃料の使用が継続され人口が増え続け、今世紀末（2100年）に産業革命前からおよそ4℃気温が上昇した場合、日本社会はどうなるのか——。

日下氏らの研究チームは、2090年代には、東京・大阪で屋外労働が可能な時間が現在よりも30～40パーセント短縮し、そして東京23区では熱中症のリスクが最大で13・5倍にもなり、一夏に24万人が救急搬送されるという予測を弾き出した。

このシミュレーション結果が示した〝ディストピア〟は、奇《く》しくも新型コロナウイルスが猛威を振るい、ステイホームと外出自粛、そして医療崩壊の危機が叫《さけ》ばれる現在、私たちが置かれている状況と重なり合って一際強いリアリティをもつように思える。

そして温暖化の日本への影響を見ていくうえで避けて通れないのが、近年、激甚《げきじん》化が指摘されている台風や豪雨による水害である。しかし現状、温暖化との直接的な因果関係は自明ではない。

単純に台風による犠牲者の数だけを見てみれば、平成の時代には100人を超える死者を出した台風はないが、平成より温暖化が進んでいなかったはずの昭和9（1934）年の室戸《むろと》台風では死者2702人、昭和34（1959）年の伊勢湾台風では4697人と、桁《けた》違いの被害が出ていた。もちろん、インフラの整備状況や防災の取り組みは現在と大きく異なり単純に比較はできないが、見方によっては、温暖化と水害の大きさには関係がないという解釈もされかねない。

また昨今、「水害が昔より激しくなったと感じる」という声を聞くことも多いが、こうした個人の実感も根拠にしづらいところがある。スマートフォンの普及によって市民が手軽に映像を記録することが可能になり、それらがSNSによって瞬時に拡散されシェアされる時代になっている。メディア環境の変化によって、人々が受け取る水害の情報が増大したという側面も否定しきれないからだ。

温暖化と水害の因果関係をなんとか証明できないものか——。

現在、気象学の分野において、気温の変化が異常気象の発生にどう影響を与えるのか、コンピュータシミュレーションを活用して解析する研究が進んでいる。その手法をごく単純化して説明すると、次のようになる。

コンピュータ上に現在のように温暖化が進んだ地球と、温暖化が進んでいない、いわば〝パラレルワールド〟の地球をつくり、それぞれの地球で起きうる膨大なパターンの気象を比較。両者の傾向の違いを見ることで、気温差が気象にもたらす影響だけを抽出する——。この手法を活用して、気象庁気象研究所などの研究チームがさまざまな成果を次々に報告している。

たとえば、2018年7月、日本列島が見舞われた記録的な猛暑。この月の熱中症による死亡者数は全国で1000人を超え、2010年8月の765人をはるかに上回り、熱中症による月別の死亡者数としては過去最多となった。研究グループは、多数のシミュレーション結果を用いて、地球温暖化が猛暑の発生に与えた影響を推定した。解析の結果、実際の気候条件における猛暑の発生確率が約20パーセントだったのに対して、温暖化の影響がなかった場合の発生確率はほぼ0パーセント、つまり温暖化していなければ2018年の猛暑は起きなかった可能性が高いことが明らかになったのだ。

さらに温暖化による豪雨への影響も具体的に見えてきた。死者・行方不明者が40人を超えた2017年7月の九州北部豪雨、そして、死者が250人を超えた2018年7月の西日本豪雨。それぞれの豪雨に相当する時期・地域において、「50年に一度の大雨」の発生確率を計算したところ、２０１７年７月の九州西部においては温暖化によって１・５倍に、２０１８年７月の瀬戸内地域においては３・３倍に高まっていたことが明らかになった。

われわれは、この先行研究の成果を踏まえて、雨量の変化だけでなく、大雨による洪水の具体的な被害に温暖化の影響がどこまで及んでいるのか、炙《あぶ》り出したいと考えた。

令和元年東日本台風を解析する

気象庁気象研究所・主任研究官の川瀬宏明《かわせひろあき》氏は、先述したコンピュータシミュレーションに取り組む気象学者だ。われわれが連絡を取った当時、川瀬氏は甚大な被害をもたらした一つの台風に関するシミュレーションにまさに着手するところだった。

令和元年東日本台風（台風19号）。２０１９年10月に伊豆半島に上陸したこの台風は、静岡県や新潟県、関東甲信地方、東北地方の多くの地域で3、6、12、24時間降水量の観測史上1位の値を更新するなど記録的な大雨をもたらした。全国１４０か所で堤防が決壊、90人を超える死者が出るなど甚大な被害が広範囲で発生した。

人々の記憶に深く刻まれた台風19号を通して温暖化と自然災害の関係を明らかにできれば、温暖化がもたらしている被害の実相を、リアリティをもって感じられるのではないか――。気象研究所と川瀬氏は、同台風を検証するための包括的なプロジェクトを立ち上げたいという、われわれの構想に賛同してくれた。また、同研究所の研究総務官（当時）の高藪出《たかやぶいづる》氏もアドバイザーとしてプロジェクトへの参加が決まった。

気象研究所のシミュレーションでわかるのは、コンピュータ上に再現した台風19号の雨の降り方に、温暖化した場合と温暖化していない場合でどのような違いが出るか、ということまでだ。その先、雨水が流入した河川から水がどのように氾濫《はんらん》し、住民にどこまで被害を与えるのかを明らかにするには、別の専門家の知見が必要になる。

そこで協力を仰いだのが、世界の防災研究をリードする京都大学防災研究所だ。同研究所教授の中北英一《なかきたえいいち》氏（現所長）に、プロジェクトの構想を伝え協力を要請したところ、快諾してくれた。京大防災研は、文部科学省が進める「統合的気候モデル高度化研究プログラム」において、気象研究所とともに気象のシミュレーションデータを災害の予測につなげる共同研究を行っており、そのスキームが活かせるという。

川瀬氏が計算した雨のデータを京都大学防災研究所准教授の佐山敬洋《さやまたかひろ》氏が受け取り、河川への流入量を計算。中北氏の推薦で参加することになった東京理科大学教授の二瓶泰雄《にへいやすお》氏がそのデータを基に、河川の水位変化や氾濫のシミュレーションを行う。温暖化に関するシミュレーションデータをリレーのようにつなぎながら人的被害を予測するという、世界でもあまり類を見ない試みが始まった。

結果が出たのは、プロジェクト開始からおよそ半年後。その内容は温暖化が台風19号による甚大な被害に影響を与えていたことを示唆するものだった。

まず雨量。温暖化が進んだ「現在気候」で発生した台風は、1980年ごろの「温暖化以前」という設定で計算した台風と比べて、海水温が上昇することによって含まれる水蒸気が増加していた。台風そのものの強力化なども作用し、降水量は全体で10パーセントほど増えた、と考えられた。その結果、川に注ぎ込む雨の量も大幅に増加。検証したのは、長野市を流れる千曲川《ちくま》である。堤防が決壊して、1000を超える住宅が全壊。住民二人が水に流され亡くなるなど大きな被害が出た地域の一つだ。

佐山氏は、千曲川の支流から本流に注ぎ込む水の量を計算した。すると「温暖化以前」と比べて、「現在気候」の方が20パーセント近く増えていたのだ。では、この20パーセントの差は被害にどう影響を与えたのか。

二瓶氏が千曲川からの浸水についてさまざまな条件下でのシミュレーションを行った。すると、「温暖化以前」であれば、堤防を越水《えっすい》するケースはほとんどないことが明らかになった。そして、たとえ越水したとしても、堤防が決壊して地域で床上浸水を起こすほどの水量にはならず、亡くなった二人が住んでいた地区にも浸水は及ばなかったという結果が得られた。

一方、「現在気候」では、堤防が決壊すれば、およそ9平方キロメートルにわたって浸水。地域の家屋の85パーセントで床上浸水が発生するという計算結果が出た。実際、亡くなった二人の自宅も深さ2メートルの濁流に襲われていた。二瓶氏は、「温暖化がなければ、命が失われる被害にはならなかった可能性が高い」と分析。温暖化と水害の激甚化との関係が明確に示されたのだ。今回の一連のシミュレーションを統括した京大防災研の中北氏は次のように警鐘を鳴らした。

「より多くの方に『温暖化がもう始まっている』という認識をもっていただきたい。また、温暖化の恐さ自体も認識いただきたい。『将来、さらに被害が大きくなっていく』ことを共通認識とし、いま対策を始めなければいけません」

シミュレーション結果が出た1か月後、千曲川流域の長野市・長沼地区を歩いた。破堤《はてい》地点近くの体育館は流木や土砂が当時のままになっていて、被害の爪痕《つめあと》が生々しく刻まれていた。ふたたび水害に見舞われることを恐れて、多くの住民がいまだ帰還していない。温暖化はコミュニティそのものを破壊してしまったのだ。

自らも自宅が浸水するなどの被害を受けた長沼地区住民自治協議会の西澤清文《にしざわきよふみ》さんは、せわしなくショベルカーが動く復旧工事の現場を眺めながらつぶやいた。

「地球の平均気温が1℃や2℃上がるといったって、あまりピンと来なかった。でもそれが災害と無関係ではないとようやくわかってきた」

待ち受ける〝暗黒の未来〟

専門家チームは、「温暖化以前」と「現在気候」の比較だけでなく、温暖化がさらに進んだ「将来気候」のシミュレーションも行っていた。そこから見えてきたのは、「首都水没」という〝暗黒の未来〟だった。

「＋4℃」という条件下では、台風19号に含まれる水蒸気量は20パーセント増加し、全体の降水量は30パーセント以上増加する。そのときリスクが高まるのが、首都圏を流れる荒川だ。流域に大量の雨が長時間にわたって降り注ぐことにより、国が荒川流域で想定している最大規模の流量に匹敵《ひってき》する水が、荒川に押し寄せるリスクが明らかになった。

そのとき東京はどうなるのか。国土交通省の荒川下流河川事務所は、荒川が決壊したときの被害のシナリオを破堤地点ごとにシミュレーションしている。仮に下流右岸21キロ地点が決壊したとしたら、12時間で浅草周辺は1メートルの深さの水に浸かる。秋葉原ではビルの1階部分が水没し、都市機能は完全に麻痺《まひ》することになる。浸水は広い範囲で2週間以上続き、死者は２３００人と想定される。

あくまで現在の都市インフラのままという条件下でのシミュレーションだが、温暖化が深刻化した将来に、こうした大惨事が起きかねないということだ。

私たちはいま、二つの道が続く分岐点の手前に立っている。一方の道の先に〝暗黒の未来〟が待っており、もう一方の道の先には、〝持続可能な未来〟が待っている。われわれが目指すのは、恐怖に満ちた〝暗黒の未来〟を回避し、〝持続可能な未来〟に向けて２０３０年までに歩むべき道を探ることだ。

ＩＰＣＣによれば、パリ協定が提示した「１・５℃目標」を実現するためには、増加を続けている温室効果ガス排出量をいますぐ減少に向かわせ、２０３０年におよそ半減、２０５０年に森林などによる吸収量を差し引いて実質ゼロにすることが必要になる。

コロナ・パンデミックによって世界的に経済活動が縮小されたにもかかわらず、２０２０年に削

二酸化炭素排出量（世界全体）

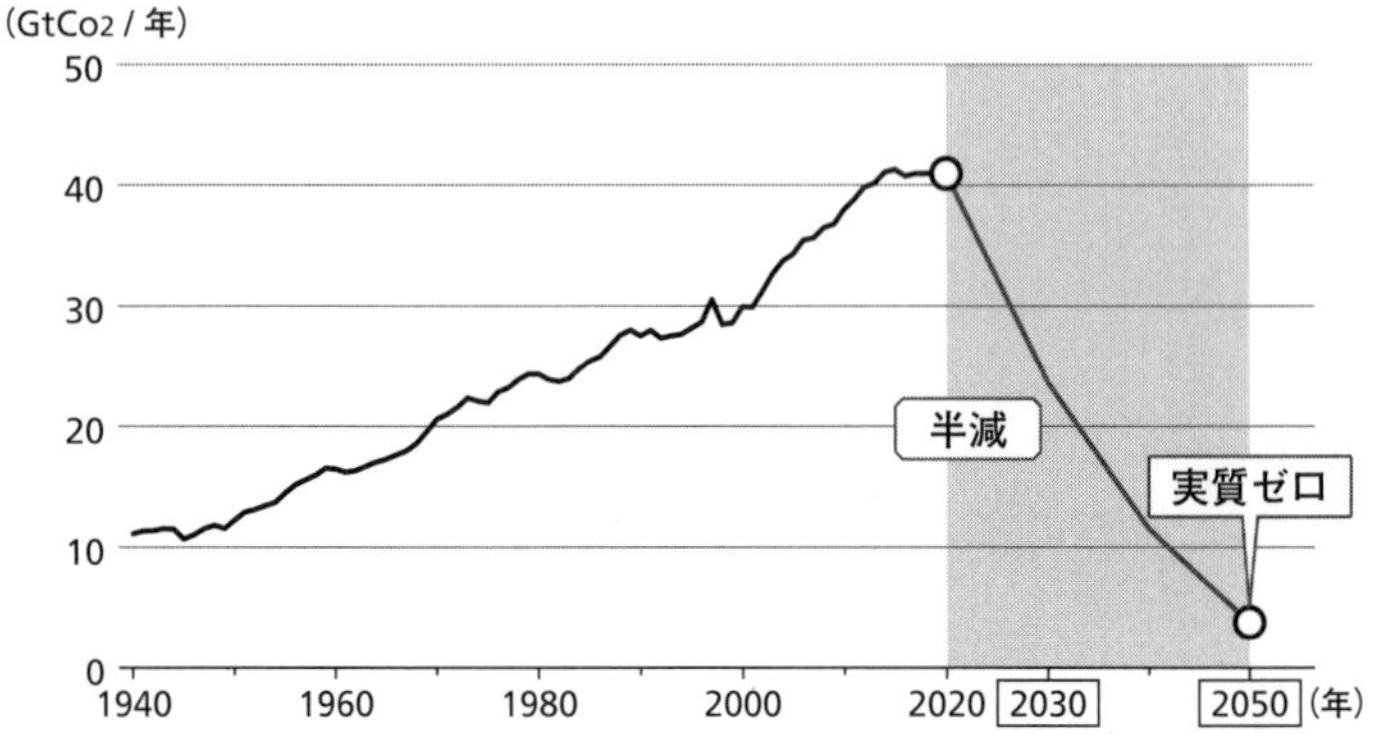

データ出典：sspdatebase(IIASA) PRIMAP-hist / GCP

減された二酸化炭素排出量は7パーセント程度だと言われている（国際共同研究「グローバルカーボンプロジェクト」調べ）。小手先の対策では到底目標に届かず、まさに化石燃料文明からのドラスティックな転換が求められているのだ。

ただの理念ではなく、個別のイノベーションでもない。具体的かつ包括的な社会変革のビジョンを求めて、ＥＵを取材対象に定めた。

「２０５０年ゼロ」を牽引するＥＵ

２０１９年12月に発足した、ウルズラ・フォン・デア・ライエン委員長率いる新ヨーロッパ委員会（ＥＵの内閣に当たる組織）が、最優先政策として掲げたのが、「欧州グリーンディール」である。これは、２０５０年までにＥＵ域内の温室効果ガス排出をゼロにすることを目指すものだ。さらに２０２０年12月には、これまで、１９９０年比で40パーセント以上としていた２０３０年時点での温室効果ガス排出の削減目標を55パーセント以上に大幅に引き上げる決定を行った。

欧州グリーンディールは、「気候中立（カーボンニュートラル／温室効果ガス排出、実質ゼロ）」を実現するための行動計画というだけではない。温室効果ガス排出量の削減に寄与する産業を振興し、温暖化対策の強化を経済成長につなげる成長戦略でもある。２０２０年1月発表の「欧州グリーンディール投資計画」では、２０３０年までのあいだに官民で少なくとも1兆ユーロ（当時およそ１２０兆円）規模の投資を行うとしている。

コロナ・パンデミック以降、環境分野への投資を通して経済回復を図る「グリーンリカバリー」が景気刺激策として注目が集めるなか、欧州グリーンディールの脱炭素と経済成長の両立というビジョンはより説得力をもち始めていた。

欧州グリーンディールの核心については、ヨーロッパ委員会のフランス・ティメルマンス第一副委員長がインタビューの中で語っているため、ここでは政策の概要を説明するにとどめておく。最大の特徴は、ＥＵ経済のすべての部門による取り組みが必要だと明記されていることだ。要するに、ヨーロッパ委員会は、社会をまるごとつくり替える〝革命〟を起こそうとしている。代表的な施策を列挙しよう。

エネルギー

エネルギーの生産と使用は、ＥＵの温室効果ガス排出量の75パーセント以上を占めている。風力や太陽光など再生可能エネルギーの電力網への接続・統合を推進し、洋上風力発電を最大限活用することで脱炭素化する。

建築

ＥＵのエネルギー消費量の40パーセント、温室効果ガス排出量の36パーセントが建物のエネルギー利用に由来する。公営住宅や学校、病院などを改修して断熱効果などを高めることで、エネルギー消費量を下げる。

産業

ＥＵの産業はＥＵの温室効果ガス排出量の20パーセントを占めており、また使用される原料のうちリサイクル材の割合は12パーセントにとどまる。そこで、繊維やプラスチックなどの部門で、資源利用の削減・再利用・再資源化を促し、循環型経済（55ページ、２６０ページ参照）を推進する。

輸送

輸送部門はＥＵの温室効果ガス排出量の25パーセントを占める。２０５０年までに輸送部門における排出量90パーセント削減を実現するために、電気自動車などのための充電設備を２０２５年までに１００万基設置。

ヨーロッパ委員会が長期的な社会の方向性を示したことで、企業は長期的な見通しを基にした事業計画が策定でき、思い切った投資の検討も可能になる。今後数年で、EU域内のビジネスを一気に脱炭素へとシフトチェンジさせることが、ヨーロッパ委員会のねらいだった。

変わり始めた産業界

ヨーロッパ委員会が打ち出した方針に呼応するかたちで、企業も大きく変わろうとしている。発電量ヨーロッパ2位のドイツの電力会社RWEは、かつて石炭や褐炭《かったん》などを燃料とする火力発電所を多く所有しており、環境保護団体から〝気候の破壊者〟とまで言われていた。しかし2020年に入って、ドイツ政府が2038年までに石炭火力発電所を全廃する法案を可決させたことを受け、方針を大きく転換させた。相次いで石炭採掘場や火力発電所を閉鎖。2030年までに二酸化炭素排出量を75パーセント削減する計画だ。

RWEは、発電燃料の中核を石炭から再生可能エネルギーへと移行することを目指すため、構造改革を行った。いま同社は、6000億円もの巨費を投じて、洋上風力発電を軸にした企業へと生まれ変わろうとしている。

COO（最高執行責任者）のスヴェン・ウーターモーレン氏はわれわれの取材に、「グリーンディールは追い風です。ヨーロッパで培ったノウハウを活かして世界市場に打って出たいと考えています」と答え、今後の成長に自信をのぞかせた。アジア市場も有望と捉えており、台湾や日本での洋上風力発電のプロジェクト受注を目指しているという。

VPP（仮想発電所）の仕組み

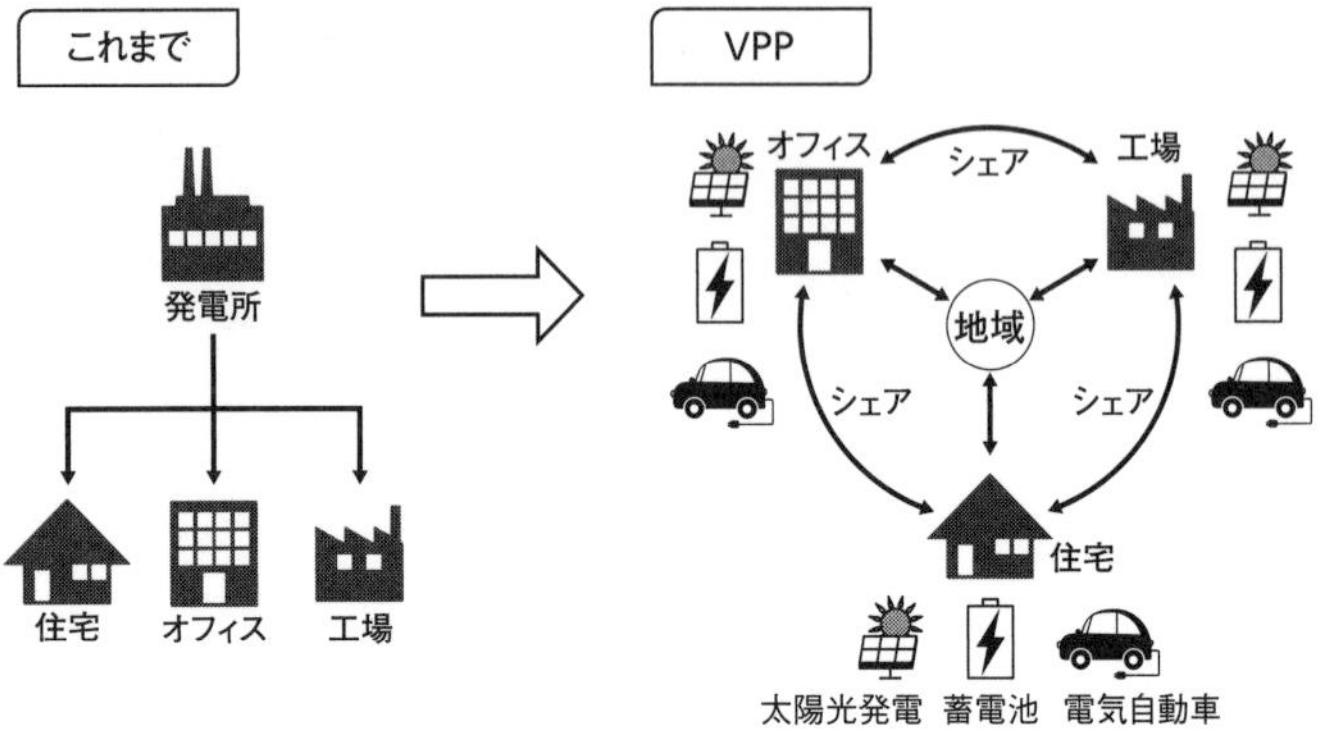

大手のエネルギー企業だけではない。ドイツではスタートアップ企業も再生可能エネルギー拡大の波に乗って事業を急拡大させている。ネクストクラフトヴェルケがその代表例だ。この会社は従来の電力会社のように、大規模な発電所をもたない。代わりに構築したのが、「VPP（仮想発電所）」という新たな電力システムだ。天候によって発電量が大きく変動する再生可能エネルギーが本格的に導入された際に、力を発揮すると言われる、そのビジネススキームの仕組みはこうである。

太陽光・風力などの発電設備や蓄電池を備えた集合住宅や工場、そしてバイオガスの発電所など1万を超える小規模分散型の設備をネットワークでつなぎ、デジタル制御を行う。再生可能エネルギーの発電量が多いときにはそれぞれの蓄電池に貯め、少ないときには逆に蓄電池などから電力を供給する。ネットワーク全体であたかも一つの大きな発電所のように電力を調整することができる、というのだ。同社CEOのヨッヘン・シュヴィル氏は、ヨーロッパのエネルギー業界の展望をこう語る。

「今後は巨大な中央集権的な発電所の地位はどんどん低下するでしょう。誰もが電力の消費者であり生産者なのです。エネルギーが今後より民主化されていくことは間違いありません。われわれはＥＵ全体を束ねる仮想発電所として再生可能エネルギーを一つにまとめ、国境のない電力システムを実現したいと考えています」

ネクストクラフトヴェルケは小規模分散型の電源が広がりつつある日本にもビジネスチャンスを見出し、２０１９年に東芝と新会社を設立した。ＶＰＰビジネスの世界市場への展開もにらんでいる。

ドイツの急激なエネルギー転換の背景には、市民の草の根の運動も存在する。ドイツ第四の都市ケルンのエネルギー協同組合エナギーゲビナーもその一つだ。１５００人の市民が参加するこの協同組合は、エネルギーを消費する一方で生み出してこなかった都市部を中心に、ビルの屋上に太陽光パネルを設置するプロジェクトなどに投資を通じて支援。都市と地方のエネルギーを巡る不均衡を是正しようとしている。

エナギーゲビナーの参加者であるマティアス・ネーフさんも、３年前、およそ１００万円かけて太陽光発電のシステムを導入した。

「当然曇りの日もありますが、使う量よりも多く電気を生み出してくれます。温暖化を憂《うれ》うだけで何も行動しなかったら意味がありません。できることから始めることが大切です」

エナギーゲビナーの実践からは、個人の行動がシステム全体の変革へとつながっていくダイナミズムが感じ取れた。

「公正な移行」とは

一方、急激な変革は、ドイツ社会に軋轢《あつれき》ももたらしていた。石炭火力発電全廃の決定に「雇用が失われる」と労働者たちの抗議の声が上がり、石炭産業に支えられてきた地域を中心に労働者たちによる「脱石炭」への反対デモが繰り広げられたのだ。

ドイツ政府は、エネルギー転換によって影響を受ける地域や企業に対して補助金を拠出することを検討。2020年7月のドイツ連邦議会で、その額はおよそ5兆円規模と決められた。担当大臣は、「さまざまな利害と意見をもつ人々の調和を図るうえで、この決断は決して容易ではありませんでした」と演説し、脱炭素への移行に伴う苦労をにじませた。

この補助金を活用した地域再生の取り組みも始まっている。石炭火力発電所を多く抱えるノルトライン・ヴェストファーレン州のユーリッヒでは、ブレエナジーパークという名の企業団地が新たにオープンした。50ヘクタールという広大な敷地に再生可能エネルギーや水素、電気自動車などの関連企業を誘致しようとしている。

取材に訪れた日、ブレエナジーパークのCEOであるフランク・ドレヒュス氏がちょうど風車の発電設備のメーカーと事業所の設置に向けた打ち合わせを行っていた。数年以内に企業団地の中で2000人の雇用を生み出す目標を掲げ「20年後、この街はいまよりもずっとよくなっていると信じている」と意気込み、石炭の廃止が地域を一からつくり替える大きなきっかけになると捉えていた。

こうしたドイツの取り組みのように、脱炭素を進めていくにあたっては、変革によって一部の人がしわ寄せを受けないようにすることが求められる。これは「公正な移行」と呼ばれ、考慮すべき重要なポイントとされている。

「公正な移行」はドイツだけにとどまらず、域内にポーランドなど化石燃料に依存した国を抱えるＥＵ全体にとっても向き合わなければならない課題となっている。欧州グリーンディールにおいても、４００億ユーロ規模の「公正な移行基金」をはじめ、２０２１年から２０２７年までのあいだに１５００億ユーロもの投資誘導目標が掲げられている。

地域や産業のあいだの分断を広げることなく脱炭素に取り組むことができるか、世界がヨーロッパの動向を注視している。

若者が世界を動かした

なぜＥＵは、困難な脱炭素に向けた取り組みを、世界に先駆けて進めることができたのか。大きな要因となったと言われるのが若者たちの活動だ。

よく知られているのが、スウェーデンのグレタ・トゥーンベリさんが始めた〝気候ストライキ〟だろう。毎週金曜日に温暖化対策を求めて学校を休むという、たった一人から始まったアクションは、「未来のための金曜日（ＦＦＦ／Fridays For Future）」として世界の若者たちに広がり、２０１９年９月に国連気候変動サミットに合わせて行われたデモには世界で４００万人が参加するに至った。

こうした若者たちの活動は温暖化対策に関する世論を強く喚起して、ヨーロッパでは市民の投票行動をも変え、政治を大きく動かした。欧州グリーンディールも若者たちの後押しなくしては、成立しなかったと言われている。

若者たちのうねりは、超大国アメリカをも動かした。2020年11月、温暖化対策に消極的だった共和党ドナルド・トランプ前大統領に2050年脱炭素を掲げるジョー・バイデン氏が大統領選挙で勝利した。大統領に就任するやいなや、トランプ前大統領が脱退したパリ協定に復帰するなど、脱炭素への取り組みに着手したバイデン大統領。しかし当初は、必ずしも温暖化対策に積極的だとは見られていなかった。それを変えたのが、若者たちの活動だったのだ。

まずバイデン氏の温暖化対策への消極姿勢を手厳しく指摘したのは、若者たちが主導して設立した環境団体サンライズ・ムーブメント。民主党が候補者選びを進めていた2019年6月、候補者たちの温暖化対策への姿勢を200点満点で採点しツイートしたのだ。バーニー・サンダース上院議員183点、エリザベス・ウォーレン上院議員165点に対して、バイデン氏は75点。「改善の余地大いにあり」とのコメントも付され拡散された。

他の若者団体もアクションを起こしていた。ニューヨークを拠点に活動する、プラス・ワン・ボート（Plus1Vote）。選挙への投票を通じての社会変革を目指し、気候変動対策を重要テーマの一つに掲げていた。創設者のサード・アメール氏は、他の団体と協力して候補者の討論会の開催を要求。温暖化対策を議題の一つにすることを迫り、その重要性をバイデン氏に伝えようとした。アメール氏は選挙戦当時のことをこう振り返る。

「バイデン氏は現場で若者たちの声を聞き、SNSの投稿を読むなかで、明らかに態度が変わっていきました」

若者たちが温暖化対策について政治へのアプローチが重要だと考える背景にあるのは、一人ひとりができることには限界がある、という認識だ。意識が高い少数の人々が環境に配慮した生活をしていても、大企業が化石燃料に依存し続ける限り、その効果は微々たるものに終わる。企業活動をダイレクトに規制できるのは、公権力をもった政治なのだから、その政治にはたらきかけてシステムチェンジの実現を目指すというわけだ。

アメール氏は、ミレニアル世代（1981年以降生まれ）ならではの発想で、SNSを通じて「温暖化対策を重視する候補者に投票してほしい」と訴えた。その一つがインスタグラムのアプリを使って自らの顔に「VOTE（投票）」とペイントした画像をシェアしてもらう取り組みである。この活動には、インスタグラムで世界3600万人のフォロワーを抱える有名モデルなど著名人も参加。結果、全米で20万人以上が「VOTE」画像をアップするほどの広がりを見せた。

SNSを通じて広がっていくこのアクションに惹《ひ》かれ、選挙権をもたない高校生も参加するようになった。16歳のケイリー・シェリーさんは、「地球と自分たちの未来を守るためには、次の大統領選挙まで待てない」と、アメール氏にコンタクトを取ったという。

自分が関与できないところで自分たちの未来を決めないでほしい――。ケイリーさんは大統領選挙の直前に、アメール氏とともにデモ行進を行い、こう主張した。

「私は16歳で選挙権はありません、私の声は大切ではありませんか。そんなことはないはずです。

私たちの声をあなたの投票に反映させてください」

バイデン氏勝利に終わった今回の選挙。アメリカ・タフツ大学の調査によれば、ペンシルバニアやミシガンなどバイデン氏が勝利した激戦州では若者のバイデン氏への投票率が高く、また若いバイデン支持者が優先する政治課題として、新型コロナ対策、人種差別問題に続き、温暖化対策が挙げられるのだという。温暖化対策を求める若者たちの声が、今回の大統領選挙の結果を左右したと言えるのではないだろうか。

選挙終了後に、アメール氏に話を聞いたところ、冷静にこう語った。

「しかし、投票して終わりではありません。彼らが本当に温暖化対策を実行するように声を上げ続けることが必要です。私たちはようやく温暖化対策のスタートラインに立ったばかりなのです」

インタビュー１

ヨハン・ロックストローム

地球の臨界点《ティッピング・ポイント》はどこにあるのか

Johan Rockström

1965年、スウェーデン生まれの環境学者。専門は水資源と地球の持続可能性。ポツダム気候影響研究所所長、ポツダム大学教授、ストックホルム大学教授。ストックホルム大学にストックホルム・レジリエンス・センターを創設。2004年から2012年にかけてストックホルム環境研究所所長を務め、2009年には、人類が地球環境システムに圧力を与える限界値の枠組みを示す「プラネタリー・バウンダリー（地球の限界）」に関する研究成果を筆頭著者として公表。国連、各国政府、NGO、企業の持続可能な開発の指針に大きなインパクトを与えた。

スウェーデン出身の環境学者、ヨハン・ロックストローム氏は、地球温暖化研究の世界的権威だ。ロックストローム氏の名を一躍有名にしたのは、2009年に多様な分野の科学者たちとともに科学誌『ネイチャー』に発表した論文「人類にとっての（地球の）安全な機能空間」である。この中で提起された「プラネタリー・バウンダリー（地球の限界）」という概念は、2015年に国連で採択されたSDGs（持続可能な開発目標）のベースとなった。

ロックストローム氏の研究チームは、気候変動、新規化学物質の排出、窒素とリン、淡水資源の消費など9の指標に境界値を設定した。地球のレジリエンス（回復力）が失われ、不可逆的かつ壊滅的な変化が起きるティッピング・ポイント（臨界点）に達しないよう、境界値の範囲内で貧困の緩和と経済成長に注力すべきというのが彼らの主張である。プラネタリー・バウンダリーは、安定した状態の地球で人類が安全に活動できる範囲を示す〝ガードレール〟であり、大惨事を防ぐための概念と言えるだろう。

そして2018年、ロックストローム氏らは、「ホットハウス・アース（温室化した地球）理論」を発表した。産業革命前に比べて地球の平均気温が「＋1・5℃」を超えて2℃上昇に近づくと、温暖化が連鎖的に起き、後戻りできない状況になる可能性があるというのだ。

シベリアなどの永久凍土が溶けて、二酸化炭素の25倍の温室効果をもつメタンガスが大量放出。アマゾンは枯れた草原へと変化し、熱帯雨林に蓄えられていた二酸化炭素が大気中へ――。たとえ人類が温室効果ガスの排出をやめたとしても、数百年かけて「＋4℃」という極めて危険なレベルへと到達する、〝灼熱地球〟へのシナリオである。

プラネタリー・バウンダリー（地球の限界）

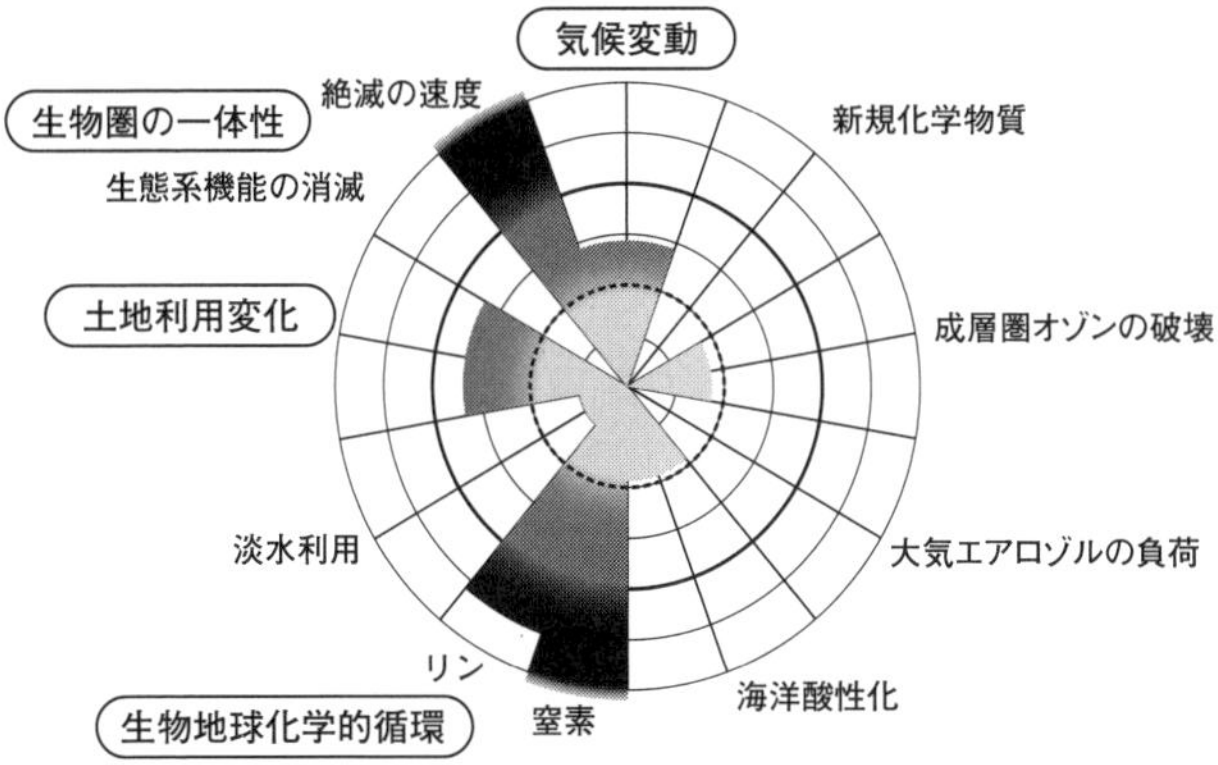

不安定な領域を超えてしまっている（高リスク）
不安定な領域（リスク増大）
地球の限界の領域内（安全）

出典：Will Steffen et al.「Planetary Boundaries: Guiding Human Development on a Changing Planet」を基に環境省が作成したものを転載

温暖化対策の〝防衛ライン〟とも言われる「＋１・５℃」は、早ければ２０３０年にも到達すると予測されている。

現在、ロックストローム氏は国連をはじめとする国際機関、各国政府、企業などへの提言を積極的に行いつつ、論文や著作を通じて広く気候変動問題を啓発している。「気候変動のロックスター」とも呼ばれ、環境への意識が高い若者たちの憧れの存在でもあるロックストローム氏に、ジャーナリストの国谷裕子さんが切り込んだ。

次の10年で流れを変えなければならない

——2020年12月、国連のアントニオ・グテーレス事務総長は、ニューヨーク・コロンビア大学で行った「地球の現状」という講演の中で、「地球は破壊されている。人類は自然に戦争を仕掛けているが、これは自殺行為だ」と、異例とも言える強い言葉でメッセージを発信しました。この発言について、博士はどう思われましたか。

ロックストローム　われわれ科学者たちはあの講演のすでに1年前、国連総会で高官レベルの会議を開催し、科学的エビデンスとともに、人類が「地球の緊急事態に直面している」と宣言する必要があるとの見解を示しています。

グテーレス事務総長の「人類は自然に戦争を仕掛けている」という発言は科学的エビデンスに基づいており、地球環境問題に人類が総力を挙げる必要があること、そして世界のリーダーたちに、いまこそ職務を遂行しなければならないことを示したと言えるでしょう。

現在、世界の多くの国と都市が気候非常事態[★1]を宣言しています。何十年も前から、科学は地球環境の危機について警告してきましたが、緊急事態を宣言する必要性が生じたことはありませんでした。危険性が理解されていなかったからではなく、その時点では、変化に必要な時間が残されていたからです。

2019年にわれわれが緊急事態を宣言したのは、状況の改善に取り組むための時間が残りわずかとなり、危機が間近に差し迫っていることが背景にあります。地球環境の悪化がティッピング・ポイント[★2]をすでに超え、崖《がけ》から転がり落ちているという科学的な結論が出ているわけではありません。しかし、数多くの深刻な兆候が相次いでいることは事実です。それでも、私たちはまだ引き返せる地点に立っています。取り返しがつかないところに到達する前に、軌道修正するチャンスがあるのです。

いま（2021年現在）、私たちは非常に重要な10年に入りました。この10年で、未来の人類のすべての世代に影響する結果が決まる可能性が高いのです。私たちは流れを変えなければなりません。

★1　2016年12月にオーストラリア・ビクトリア州デアビンが、世界ではじめて気候非常事態宣言を発出。以来、急速に広がり、2020年12月時点で33の国と1800以上の地方政府が行っている。日本でも長崎県壱岐市を皮切りに100以上の自治体が気候非常事態を宣言（2021年7月時点）、また2020年11月には衆参両院全会一致で宣言を採択した。

★2　ティッピング・ポイントは、「小さな変化が急激な変化に転じる転換点」を指す用語で、気候変動について用いられる場合は、不可逆的変化を起こす閾値《しきいち》を意味する。

限界に達しつつある地球のレジリエンス

――これまで地球は、驚くほどのレジリエンスと強さを備えていました。にもかかわらず、私たちはどうしてこのような状況に陥ってしまったのでしょうか。

ロックストローム　確かに、地球は非常に強いレジリエンスを発揮し、人類が与えてきたプレッシャーに対処してきました。

産業革命が始まってから150年間、人類は地球からとてつもなく大きな恩恵を受けてきました。人類の幸福や経済成長、平均寿命の延長や生活の質の向上をもたらす目覚ましい進歩、そして今日のような文明は、地球の犠牲があったからこそ手に入れることができたと言えます。

過去100年のデータを見ると、地球のシステムは人類に対して驚くほど寛容だったことがわかります。温室効果ガスの排出は急激に増え、1・2℃の気温上昇をもたらしました。これは、約2万年前の最終氷期以降、最も大きな上昇であり、現在の地球は8000年前に文明が始まって以来の高温に達していることを、私たちは認識すべきです。

一方、地球へのプレッシャーが急激に高まったこの100年間、大地はますます多くの二酸化炭素を吸収し続け、海はますます多くの熱と二酸化炭素を吸収し続けました。1950年以降、毎年、地球のシステムは人類が排出する温室効果ガスの約50パーセントを吸収しています。

しかし、地球のシステムのレジリエンス――人類からのプレッシャーをやわらげ、吸収し、緩衝し、冷ますことができる容量——は少しずつ失われてきています。長年私たちは、「地球は環境汚染を無限に受け止めてくれる」「地球が不安定になり、社会が代償を払わされる危険はない」と信じ込んできました。しかし最新の科学は、すでに地球が飽和状態にあることを示しています。

それだけではありません。科学者が懸念しているのは、人類だけではなく、地球自体もプレッシャーを強める要因になるということです。これまで地球にプレッシャーをかけているのは、私たち人類だけでした。地球は非常に強いレジリエンスを発揮して、そのプレッシャーを吸収し続け、弱め続けていましたが、突然、地球自体も人類と並んで、地球にプレッシャーをかけるようになったのです。私たちが予想もしなかったような反応が起きています。

北極の氷や南極の氷床の白い表面は、太陽から届く熱の約90パーセントを反射し宇宙に返していますが、氷が溶け、表面が液体になると、白から暗い色に変わり、反射する熱より吸収する熱の方が多くなります。すると、北極と南極は冷却装置から暖房装置に変わってしまうのです。

北極ではまさにそれが現実に起こっています。２０２０年[★3]は北極圏にとって大惨事の年になりました。北極圏の泥炭地《でいたんち》が延々と燃え続ける火災が発生し、シベリアの一部で最高気温38℃が記録され、北極海の夏の海氷が15～30年後に消滅するペースで融解しています。

このままでは、地球環境の巨大な調節システムの一つである北極の氷が、さらに熱を吸収することになってしまうでしょう。これは、どんな状況であっても起こさせてはならない変化です。

★3　２０２０年はじめから７月にかけて発生した、シベリアの大規模な森林火災によって１９００万ヘクタールもの面積が焼失したほか、6月には、世界一寒い街と言われるロシア極東のベルホヤンスクで北極圏の過去最高気温38℃が観測されるなど、永久凍土の融解が急速に進んでいる。アメリカ国立雪氷データセンターによれば、2020年9月の北極海の海氷面積の最小値は、過去2番目に少ない374万平方キロメートルを記録した。

「人新世」は何を意味するか

——人間の活動の規模があまりにも大きくなったことが原因ですね。つまり私たち人類が地球に大きな負荷を与えて地球のシステムを変化させてしまった。

ロックストローム　人類が地球上の変化を引き起こす最も大きな原動力になっている——これはこの10年間で最も重要な、科学からのメッセージです。

科学が出した結論は、完新世《かんしんせい》（ホロセン）★4が終わり、人新世《ひとしんせい》（アントロポセン）★5という新しい地質年代に突入しようとしているということです。Anthropocene（人新世）の「anthropo-」は、ギリシャ語で「人類」を意味します。つまり、人類は地球という惑星に変化をもたらす支配的な勢力になっているのです。

太陽からの日射量の変動や、火山の爆発や地震など自然要因による変動も起きています。しかし、人類による変化のペースとその振幅はあまりにも急激で、そうした自然要因を大きく超えてしまっているのです。

人新世がいつ始まったのかについては、見解が分かれるところですが、私は１９５０年代だと考えています。第二次世界大戦から10年が過ぎ、世界人口が35億人だったこの時代に、マイクロプラスチック（１９９ページ参照）や核廃棄物が誕生し、生物多様性の損失や温室効果ガスの濃度上昇、地球上のいたるところでの汚染物質の発見といった現象が確認されているからです。

そして１９９０年以降、つまりわずか30年間で、人類はこの惑星全体を不安定にするほど危険な力をもつようになりました。このままいけば、地球環境は悪夢と化すでしょう。われわれの予測では、地球は不可逆的に「ホットハウス・アース」と呼ばれる熱帯の惑星になる可能性があります。

ホットハウス・アースの大部分は気温が非常に高く、熱波に襲われるため、人間が暮らせないデッドゾーンになります。これは地球の歴史上５０００万年ものあいだ、見られなかった状態であり、大惨事です。当然ながら、このような事態を許容するわけにはいきません。地球を制御可能な間氷期（氷期と氷期のあいだの、比較的温暖な時代）から離れる方向へ押しやるわけにはいかないのです。

幸運なことに、まだ間氷期の状態から離れたわけではありません。しかし、ティッピング・ポイントには近づいています。そのポイントがどこにあるのか正確にはわかっていませんが、近づいていることは間違いありません。地球がティッピング・ポイントを超えてしまえば、ホットハウス・アースに向かう危険が増大し、私たちは、それを押し戻すことができなくなります。それは人類にとって大惨事となるでしょう。

★4　地層などから決められる地質年代の区分の一つで、人類が大きく発展を遂げたおよそ1万1700年前から現在までの期間を表す。
★5　ノーベル化学賞を受賞した、オランダの化学者パウル・クルッツェンなどにより提唱された、人類の活動が地球を変化させてしまうとする地質年代の名称。

「ホットハウス・アース」に至るドミノ倒しのプロセス

――あなたは、「ティッピング・ポイントをいったん超えると、不可逆的な状況が次々とドミノ倒しのように起こる」と指摘されています。

ロックストローム　われわれの研究チームが、プラネタリー・バウンダリーという概念を発表する1年前の2008年、ドイツのポツダム気候影響研究所所長のハンス・J・シェルンフーバー氏と、イギリスのエクセター大学教授のティム・レントン氏、そしてその研究グループのメンバーによって、ティッピング・エレメントの世界地図が発表されました。ティッピング・エレメントは、地球全体のシステムを調整する機能をもっているもので、北極、南極、海洋循環、大規模森林系など、現在15の存在が特定されています。それぞれのエレメントにはティッピング・ポイントがあり、それを超えると地球環境に大きなインパクトを与えます。

2019年にわれわれは、それぞれのエレメントが相互につながっていることを見出しました。

そして地球温暖化の早い段階、1℃から3℃程度、気温が上昇して、たとえば、北極の海氷やサンゴ礁のようにレジリエンスの弱いエレメントの一つがティッピング・ポイントを超えると、まるでドミノ倒しのように、次はレジリエンスのやや高いエレメントがティッピング・ポイントを超えて倒れてしまうという危険があることを推定できました。そして二つ目のドミノが倒れ始めれば、次々とカスケード（何段も連なっている滝）のようにドミノ倒しが起きます。産業革命以前より2℃の気温上昇が起きれば、最初の一連のカスケードが起きる可能性があると分析されていました。

コロナ・パンデミックが始まる直前のタイミングで、われわれは2008年のティッピング・エレメントの地図の分析を行い、現状を評価しました。その結果、衝撃的なことに、15のエレメントのうちの9つが安定性を維持する能力を失いつつあることが確認されたのです。9つのエレメントのシステムがティッピング・ポイントにかなり近づいていました。

たとえば、北極の海氷の融解が加速しているほか、大西洋の海流循環システム、いわゆるAMOC[★6]が約15パーセント減速していることがわかりました。これは極めて劇的な変化です。グリーンランドと北極の氷が溶けて冷たい淡水が流れ込んでいることが原因です。このため、暖かい表面水が南の海にとどまっており、南極の氷の融解を加速させています。西南極氷床はすでにティッピング・ポイントを超え、不可逆的に海へと流れ込んでいます。

――「ホットハウス・アース」へのプロセスも、ドミノ倒しのように進んでいくのですね。

ロックストローム　ホットハウス・アースに向かう変化は先ほどのドミノ倒しのように一連の流れとして起こります。直ちにアルマゲドンに陥るわけではありませんが、この軌道に一度入ると、抜け出すことはできないのです。

地球のほとんどのシステムは、まだ間氷期の状態、自己制御ができる状態にありますが、悪夢は、永久凍土が溶け始め、氷床が溶け、森林が損失され、すべてのエレメントが自ら温暖化を進める状態になることです。そうなれば、4～6℃の気温上昇が起こり、「ホットハウス・アース」が生まれてしまうのです。

★6　大西洋子午面循環、大西洋南北熱塩循環。大西洋から北極にまたがる海流システムのこと。氷期における急激な気候変動の引き金となったと考えられ、長期の気候変動の重要な要素とされている。

地球を300万年以上前の状態に戻してはいけない

——2015年のパリ協定で示された「+2・0℃」目標は、2018年にIPCC（気候変動に関する政府間パネル）が「1・5℃特別報告書」を発表してからは、世界的に温暖化の目標は、「+1・5℃」未満に抑えることとなり、より高い水準となりました。この「+1・5℃」という目標の重要性をどう理解すればいいのでしょうか。

ロックストローム　２００９年にわれわれがプラネタリー・バウンダリーを発表した当時は、「＋１・５℃」を少し下回る、約１・４℃という用心深いレベルを気候変動のプラネタリー・バウンダリーと設定しました。しかし、２０１５年のパリ協定の時点では、目標が１・５℃であるべき科学的エビデンスはそろっていませんでした。

それからの5年、「＋１・５℃」は、政治的に選択された数値ではなく、まさに生物物理学上からの結論であることを裏付けるエビデンスがますます増えています。

１・５℃を超えれば、北極海の夏の海氷が失われ、熱帯サンゴ礁が失われ、南極の氷床が失われ、将来的に1メートル以上の海面上昇が起こり、熱波が増えることになります。その結果、地上の何億もの人々、あるいはすべての人々の暮らしは非常に困難になるでしょう。

最近、私が所長を務めるポツダム気候影響研究所の科学者たちは、過去３００万年、つまり更新世《こうしんせい》（プリストセン）★7と完新世という二つの地質時代からなる「第四紀」の地球の気温を再現する気候モデルの分析を行いました。第四紀は、45億年前から存在している地球が、私たちの知るような惑星――大陸があり、氷冠があり、大気があり、水循環がある惑星――として存在した唯一の地質時代です。

結果、この３００万年間の平均気温の変化は6℃――暖かい間氷期には気温が最大2℃まで上昇し、寒い氷河期には4℃下降する――という非常に狭い幅の中で上下してきたことがわかりました。これは地球のレジリエンスによるものですが、その３００万年ものあいだ、地球は一度も「＋２℃」を超える平均気温の上昇を経験したことがないという事実は、驚くべきことです。

――ホットハウス・アースを回避するための閾値については、専門家として何度と考えているのでしょうか。「＋2℃」ですか。

ロックストローム　「＋2℃」を超えれば未知の領域に入ることになるのですから、平均気温の上昇は2℃未満に抑えるべきだというのが私の意見です。2℃未満でも厳しい変化にさらされることは変わりませんが、少なくとも現在わかっている限りでは、不可逆的なティッピング・ポイントを超えることにはなりません。

実際のところ、地球の閾値がどこにあるかは難しい問題です。もしかしたら、地球は「＋2・5℃」、あるいは「＋2・6℃」でも対処できるかもしれませんが、それは誰にもわかりません。閾値がどこにあるのかにかかわらず、その影響の度合いをどう考えるかが重要です。

しかし、忘れてはならないことが一つあります。私が非常に重要だと思っていることです。「＋2℃」の前後に地球の閾値がないと仮定しましょう。そして、IPCCがこのままでは今世紀の終わりに到達するとしている「＋4℃」に対処できるほどのレジリエンスを地球がもっているとしましょう。しかし、地球が対処できたとしても、私たちはどのように対処するのでしょうか。「＋4℃」とはつまり時計を500万年戻し、地球を私たちが知る惑星になる以前の状態にするということです。最新の分析によれば、2070年には、世界人口の3分の1となるおよそ35億人が、平均気温が29℃を超える地域に住むことになります。これは、生理学的に人類が生存していくことが難しい環境であり、多くの人々が深刻な病気になるか死亡する危険にさらされ、移住を強いられることになるでしょう。

前回、「＋2℃」の気温上昇が起こったのは、直近の間氷期である約13万年前で、そのとき地球上の海面は現在より6〜8メートル高かったことがわかっています。私たちがパリ協定の目標を達成できず、同規模の海面上昇が起きれば、ニューヨークを失い、東京の一部を失い、ストックホルムを失うことになるでしょう。

実際には、海面の変化が安定するまでに500年程度はかかると思われます。「そんな先のことまで心配しなくていい、せいぜい30年後、最長でも今世紀の終わりまでに何とかすればいい」と考える人もいるようですが、それは誤りだと思います。不可逆的に6メートルの海面上昇に向かう地球を子どもたちの世代に引き渡すことなど、けっして容認できません。

500年はそれほど長い時間ではないのです。私たちが暮らしている社会の価値観や信仰、文化は、さかのぼることも多い2000年前の物語や歴史的出来事に基づいているのですから、私たちは500年先、いや1000年、2000年先に起こることについても責任を感じるべきではないでしょうか。このままいけば、私たちは今後100年のうちにこの惑星を食い尽くしてしまうかもしれないのです。

★7　約258万年前から約1万年前までの期間を示す地質年代。大部分が氷河時代に当たる。

「気候のG4」はなぜ実現したか

――IPCCの「1・5℃特別報告書」によれば、「+1・5℃」という目標を達成するためには、私たちは2030年までに二酸化炭素排出量を45パーセント削減し、2050年までに排出ゼロを実現することが必要です。日本を含む多くの国が2050年時点でのゼロエミッション[★8]を目指すと約束していますが、これはとても野心的で挑戦的な目標ですね。私たちは具体的に何をしなければならないのでしょうか。

ロックストローム　非常に短期間のうちに、私が「気候のG4」と呼ぶものが誕生しました。EUが「2050年ネット・ゼロ」を掲げたときは、世界の中で孤立しているようにも見えましたが、いま、世界最大の四つの経済圏であるアメリカ、EU、中国、日本が、この目標に足並みをそろえています。これは実に有意義な前進であり、トンネルの先に見えた光だと言えるでしょう。「気候のG4」の影響は、必ず世界の他の地域へと広がっていくからです。

興味深いことに、わずか5年のあいだに、まるで「ゼロを目指すレース[★9]（Race to Zero）」のような状況が生まれ、「2050年ネット・ゼロ」実現に向けて、政治指導者、地方自治体の首長、財界のリーダーたちが活発な議論を交わしています。

いまから30年後までにゼロエミッションを実現するには、10年ごとに二酸化炭素総排出量を半分に削減することが必要です。これが非常に大きな挑戦であるのは間違いありません。たとえば、1960年代に緑の革命[★10]が起こったとき、アジアにおける収穫高は、20年で倍増させるという計画のもと、年2〜3パーセントのペースで増加していきました。

「２０５０年ネット・ゼロ」はその2倍の速度で変化を起こすことが期待されています。６パーセントというペースで変化が起これば、事態は急速に進むことでしょう。緑の革命が科学技術によって10億以上の人々を飢餓の危険から救う〝革命〟だったとすれば、「２０５０年ネット・ゼロ」も間違いなく〝革命〟に値すると言えます。

よいニュースは、過去30〜40年間の政治指導者たちが口にした公約とはまったく異なり、二つの明確な証拠があるということです。

一つは、エネルギー分野や、交通・運輸・自動車などモビリティ分野における新たなシステム、循環型ビジネスのモデル、食料システムを転換するテクノロジーなど、私たちには解決策があり、何をすべきかがわかっていることです。それはユートピアではありません。

もう一つは、これが最も重要なことであり、とても明白かつ説得力があることなのですが、「２０５０年ネット・ゼロ」実現への道は、私たちにより多くの恩恵をもたらすということです。雇用が増え、よりよい経済が実現され、より競争力のある産業が生まれ、よりよい医療効果が得られ、安全保障が強化され、移住が減り、紛争の少ない安定した社会を実現する可能性が高まります。

残念ながら、中国の石炭火力発電所への投資、インドにおける採炭事業の拡大、オーストラリアの石炭投資の拡大など多くのネガティブな展開も世界中で続いています。今後数年、私たちは大きな課題に取り組むことになりますが、世界はいまだ混沌の中にあり、多くの国やステークホルダーは、何に賭《か》けるべきかわからずにいるのです。しかし、確実に変化は起こっており、「気候のＧ４」

はなかでも最も重要な進歩なのです。

★8　2020年10月の時点で、121か国とEUが2050年までに二酸化炭素排出量をネット・ゼロ、もしくはカーボンニュートラル（どちらも二酸化炭素の排出を吸収で相殺すること）にする目標を掲げている。EUは2018年に「2050年ネット・ゼロ」のビジョンを公表、日本は2020年10月、「2050年カーボンニュートラル、脱炭素社会の実現を目指す」と表明している。アメリカのバイデン政権も発足早々に公約としてきた「2050年ネット・ゼロ」を宣言、中国も2020年9月に「2060年ネット・ゼロ」を宣言している。

★9　2019年6月、UNFCCC（国連気候変動枠組条約事務局）は、2020年に開催される予定だったCOP26（気候変動枠組条約第26回締約国会議）に向けて、「Race to Zero」というグローバルキャンペーンを行った。パンデミックによりCOP26は2021年に延期されたが、2週間にわたって「Race to Zero」と題するオンライン会議が開催された。

★10　1940年代から1960年代にかけて、生産性向上を目的とし行われた農業技術の革新のこと。高収量品種の導入や化学肥料の投入などにより、小麦、コメ、トウモロコシなど穀物の大量増産を達成し、途上国の食料増産および世界的な農業近代化に大きな影響を与えた。

117ページも参照。

経済成長とゼロエミッションは両立できるか

――いまのお話に水を差すつもりはありませんが、ポジティブな変化は見られても、その規模は十分ではないように思えます。2050年には世界人口が100億人近くに達するという予測もありますし、環境に負荷をかける経済成長が今後も続くとされています。そのような状況で楽観的な見方をすることができるでしょうか。経済成長を推進しながらゼロエミッションを実現する、いわゆる絶対的デカップリング（分離）は可能なのでしょうか。

ロックストローム　絶対的なデカップリングが、たいへん困難な課題であることは否定しません。絶対的なデカップリングのためには、単に脱炭素化すればいいだけではなく、自然を守り、保護して、森林などの炭素吸収源が損なわれないようにしなければなりません。また、すべての資源利用を循環させる必要があります。現在の資源採掘から廃棄までの直線型の生産モデルを循環型に転換させるのです。また、世界の食料システムを持続可能なものに転換しなければ、食料問題だけでパリ協定が脅かされる可能性もあります。

しかし強調したいのは、デカップリングはいまや希望的観測ではなく、実際に達成できるということです。少なくとも、達成できないことを示すエビデンスはどこにもありません。

エネルギーについては、太陽光・風力・バイオマスなどによる発電や、水素のエネルギーキャリアとしての活用などによって、経済的発展をもたらしてくれる再生可能で脱炭素化された経済は実現できるでしょう。

一方、困難が予想されるのは物流です。人口１００億人の世界で、どのようにすれば内燃機関を消滅させて、陸海空のモビリティにゼロカーボンを導入することができるでしょうか。

私は、以前から絶対的なデカップリングを可能にする私たちの能力について批判的に見ています。しかし、すでにデカップリングに向けたさまざまな挑戦は始まっており、一斉に前進させなければなりません。脱炭素、自然のもつレジリエンス、循環型経済を実現してはじめて、絶対的なデカップリングや人間が安全に活動できる空間は可能になるのです。

ただ、経済成長は間違った方法で測られており、ＧＤＰだけで測れば、誤った評価につながります。包摂的な観点、福祉の観点から検討する必要があるでしょう。私は経済成長について明確に語ることができませんが、私たちにとって重要なことは、プラネタリー・バウンダリーを超えてしまう危険を冒さずに、どのようにしたら世界中の人々に満足のゆく生活水準を平等に提供できるかである、とは言えます。

われわれが最近実施した研究では、既存のバイオテクノロジーや雨《う》水《すい》貯留《ちょりゅう》システムなどを活用することで、プラネタリー・バウンダリーの範囲内で１００億人に食料を供給できることがわかりました。つまり、食料システムを脱炭素化し、地球のレジリエンスの損失を防ぎながら、人類に健康的な食生活を提供することは、現在のテクノロジーでも可能なのです。

プラネタリー・バウンダリーの分野の一つである、[★11]「窒素やリンの過剰生産と過剰使用」の例を挙げましょう。この問題は、土壌管理の改善により土壌有機物の損失を防ぐことで解決は可能であり、魔法は必要ありません。しかし現状、こうしたことが実現できていないのは、テクノロジーや私たちのやる気の問題ではなく、経済的なインセンティブが間違っていることが原因なのです。

　人類はいまも、地球に負荷をかける経済のあり方や社会システムを世界中で維持しています。そうしたなかでは、地球を破壊するような方法で物品・サービスを生産する方が安上がりで、地球環境にやさしい方法にはより多く支払うことになるというパラドックスが存在しているのです。この状況を反転させるには、これまでは経済の外部にあったものの内部化、つまり価格に反映していなかった二酸化炭素や土壌、生物多様性に価格を付ければいいのです。

　ポツダム気候影響研究所の別の研究で明らかになったことがあります。炭素排出1トン当たりの価格が100米ドルを超えた途端に、またたく間に経済的な流れが変わり、世界経済の大半が化石燃料と関わりがあるものから離れていく――採算が取れなくなるという単純な理由からです。

　長いあいだ、「世界的に二酸化炭素に価格を付けることはできない、それはただの夢物語だ」と言われてきました。しかし、「気候のG4」が10年間で二酸化炭素排出量を半分に削減するという大仕事に着手した瞬間から、これらの国や地域は二酸化炭素に価格を付けることを選択せざるをえないでしょう。でなければ、約束した目標に到達できません。このように炭素の価格設定が自ずと行われるところまで近づいているのです。

　また、市場競争の公平化を図るために、炭素に価格が付けられていない物品・サービスには輸入関税をかけることになるでしょう。気候に悪影響を及ぼしてもその対価を払っていないため価格が安くなっている商品と競争しなければならないことは、市場では受け入れられないでしょうから。

★11　農業で窒素を肥料として使うことは食料生産増大につながる。しかし肥料にするために、天然ガスや石油など多くの化石燃料が使われるほか、肥料として使われた窒素やリンが地下水を通じて河川、湖沼、沿岸海域の富栄養化（海水や川の水の栄養分が自然状態より増え過ぎてしまうこと）をもたらし、プランクトンが大量発生するなどの問題がある。

必要とされるイノベーションの分野とは

――化石燃料に頼らない経済を実現するにはラディカル・イノベーション（従来の延長にない、完全に新しい技術革新）がカギとなり、デカップリングが可能になるとの意見があります。私たちは、それに賭けるべきでしょうか。

ロックストローム　数年前まで、私はラディカル・イノベーションに頼り過ぎることに懐疑的で、いかなるかたちのジオエンジニアリング[★12]も重大な影響を及ぼす可能性があると危惧《きぐ》していました。私たちが行動を変革し、新しい社会構造を拡大するペースを遅らせるのではないかと心配していたのです。

しかしいま、私たちは緊急事態に直面しており、全員が総力を挙げる必要がある時期に来ています。世界のカーボン・バジェット[★13]の残りはわずか3500億トンであり、それは66パーセントの確率で気温上昇を「＋1・5℃」に抑えることができるようにするための〝予算〟です。人類は年

400億トンの二酸化炭素を排出していますから、3500を400で割ると、現在の排出レベルでは、残りは8年ほどしかありません。

こうした危機的現状を踏まえ、私は、イノベーションの選択肢をすべて検討するべきだと自身の考えを改めることになりました。ただ、「どのような状況に陥っても、テクノロジーが人類を救う」と考えるのは誤りです。あまりにもリスキーで、そうしたテクノロジーは存在しないでしょう。それでも、いくつかの分野ではイノベーションは必要になります。

私が注目するイノベーションには、たとえば、細菌の力で排泄《はいせつ》物を飼料用の動物性タンパク質へと変える技術などがあります。あるいは、化石燃料の代わりに水素を使って製鉄を行う技術が実現されれば、風力発電に使用される風車や電気自動車に必要な鉄を生産することができます。また、今世紀後半に化石燃料の使用を廃止することに成功したとしても、大気中から二酸化炭素を回収する規模の拡大は不可欠で、二酸化炭素回収のテクノロジー、イノベーションも必要です。

そして、たとえ「+1・2℃」の気温上昇であっても問題が発生するという、否応《いやおう》なしに受け止めなければならない現実があります。「+1・5℃」で食い止めることができても、食料不安、干ばつ、洪水、病気、火災などが発生します。

世界の乾燥した地域の小規模農家のためには、降雨条件が不安定な環境でも育つ作物を開発するためにはどうすればいいかも、考えなければなりません。従来の植物育種の技術が役立つのはもちろんですが、最新の遺伝子工学も私たちが頼らなければならない重要なラディカル・イノベーションの一つになるかもしれません。

ラディカルなテクノロジーによる解決に頼り過ぎたり、その登場をただ待ったりすることはできませんが、科学と技術が重要な役割を演じることになるのは間違いないでしょう。

★12 気候工学。人為的な気候変動の対策として行う意図的な惑星環境の大規模改変。
★13 炭素予算。地球温暖化を所定の水準に抑えるための二酸化炭素累積排出量の上限のこと。

最も先進的でクールな未来は〝持続可能な未来〟

――博士のオフィスには、アインシュタインの「世界を破壊するのは邪悪な者たちではなく、何もせず彼らを見守る者たちだ」という言葉が書かれたポスターがありますね。

ロックストローム　私は毎朝、このポスターを見て気を引き締めています。アインシュタインのこの言葉は、私の仕事の指針となる箴言《しんげん》の一つです。

アインシュタインの頭にあったのは、核戦争の大惨事でした。彼が伝えたかったのは、次のようなことです。少数の否認主義者や独裁的な指導者によって引き起こされる可能性のある惨事を防ぐことは私たち全員の責任であり、私たちには市民としての道徳的義務があることを認識しなければならない――。悪い変化が起きたとき、責めを負うべきは無関心な多数派であるというのが、彼のメッセージなのです。

今日の状況は、アインシュタインがこの言葉を発した当時と非常に似通っていると思っています。いま、地球上で生きている私たち、つまりこの決定的瞬間に生きている世代は、起きていることを傍観するわけにはいきません。

――これからの10年が決定的な瞬間であり、非常に重要であるというメッセージは、日本では十分に浸透していないと感じます。博士は気候危機問題のエキスパートとして卓越したコミュニケーション能力をおもちですが、どういったナラティブ（語り口）が人々を納得させ、行動を取りたいと思わせると考えていますか。

ロックストローム　それはとても難しい質問ですね。

この50年間、支配的だったのは、〝環境保護主義者のナラティブ〟とでも言うべきものでした。たとえば、「私たちは問題を解決できるが、ある程度の代償を支払う覚悟が必要である」とか、「人類は誤ったことをしていて、自然を保護する必要があるため、行動を抑制しなければならない」とか。環境の話をすると、「洞窟に住んでいた時代に戻る」と受け止められたり、「時代を逆行する語り口だ」と批判されたりしました。このような伝え方がほとんど失敗してきたことをわれわれは認めなければならないでしょう。

たとえば私の母国スウェーデンは、世界で最も環境意識が高い社会の一つですが、人口の15～20パーセント程度にしかメッセージが届いていません。私がいま暮らしているドイツも、日本も同じようなものでしょう。基本的には、教養が高く、都会で暮らす若い世代をはじめとした、〝環境保護主義者のナラティブ〟を受け入れられる少数派にしかメッセージを届けることができていないのです。もちろん、それでは十分ではありません。

しかしいま、新しいナラティブが出現しています。それは、「持続可能性こそが成功の入り口だ」というものです。私はこれこそが多くの人々を仲間に引き入れることができるものだと確信しています。持続可能性へとギアチェンジをして、先進的な未来への旅が始まっています。最もハイテクで、最も先進的でクールな未来は〝持続可能な未来〟です。これが突破口になると思います。

われわれのような気候科学者や環境保護論者だけではなく、ビジネスリーダーや若者、スポーツや文化、音楽の世界の人々など、社会の他のステイクホルダーたちも取り入れられるナラティブを通じて、「持続可能性は未来への道である」というメッセージを伝えることができるでしょう。

ジェームズ・ボンドが登場する映画『007』を想像してください。大災害が起き、世界が破滅に瀕《ひん》しています。そこへヒーローが登場し、未来を救うのです。私たちは時代のヒーローになることができます。いまこの瞬間に立ち上がって、困難に立ち向かうことができます。

新しいナラティブによって、私たちがともに創造する未来が、とても明るいものになる。それが私の希望なのです。

インタビュー２

フランス・ティメルマンス

EUが構想する2050年の世界

Frans Timmermans

1961年生まれ、オランダ出身の政治家・外交官。オランダ下院議員、ヨーロッパ担当大臣、外務大臣を経て、2014年からヨーロッパ委員会第一副委員長。「よりよき規制」「機関間関係」「法の支配」「EU基本権憲章」を担当。2019年から気候変動総局担当として、欧州グリーンディール政策を統括する。

世界で最も積極的に気候変動問題に取り組んできたＥＵ。２０１９年末に発表された欧州グリーンディールは、ＥＵを世界に先駆けて「気候中立な大陸」にするという目標の達成に向けた成長戦略であり、ＥＵの最優先政策と位置付けられている。

２０２０年、ＥＵの法律や政策の策定を担うヨーロッパ委員会は、２０３０年までの二酸化炭素削減目標をそれまでの40パーセントから55パーセントまで引き上げた。また、同年3月には、ＥＵ域内での温室効果ガス排出量を２０５０年までに実質ゼロとする目標に法的な拘束力をもたせる「欧州気候法案」を提出するなど、コロナ・パンデミックのさなかにあっても気候変動問題への取り組みを一層加速させている。

これら一連の政策を牽引《けんいん》するのが、現在、ＥＵの気候変動対策の責任者である、ヨーロッパ委員会第一副委員長フランス・ティメルマンス氏だ。自国オランダでは、外務大臣を2期務めるなど、長く国際舞台で活躍してきた外交のプロフェッショナルである。

インタビューにおいて、国谷裕子さんは、ＥＵの野心的な取り組みを前向きに受け止めつつも、その実現可能性を検討すべく、鋭い質問を浴びせた。それに対しティメルマンス氏の回答は、確固たる〝ＥＵと世界の未来〟のイメージに基づいて行われ、欧州グリーンディールについても、「人々の幸福と健康を向上させ、次世代のために健全な地球を守ることに役立つ、グリーンで包摂的な移行の提案」とよどみなく説明した。その手腕が、いま世界から注目されている。

パンデミックのさなかに気候変動対策を加速させる理由

――コロナ・パンデミックのなか、EUは、2030年までの炭素排出削減の目標を1990年比で「マイナス40パーセント」から「マイナス55パーセント」に引き上げました。このように野心的に気候変動問題に取り組んでいる理由をまずお聞かせください。

ティメルマンス　パリ協定に基づいた「2050年までに炭素ゼロ」というEUの目標を実現するために、2025年、2030年、2035年、2040年にそれぞれ何をするべきか、どういう状況にあるべきか、ロードマップを検討しました。その結論は、「(2030年時点で) マイナス40パーセント」という古い目標に固執すれば、2050年における炭素排出量はせいぜいマイナス60パーセント、ゼロにはならないというものでした。2050年に炭素ゼロに到達するには、2030年時点での目標を「マイナス55パーセント」に引き上げることが必要なのです。

――大幅に目標の引き上げを行ったことの背景には、何があるのですか、危機感ですか。

ティメルマンス　科学です。科学的事実こそが、私たちが一層努力しなければパリ協定の約束を守れないということを明らかにしたのです。科学者たちは「地球温暖化の影響は増している」と警告し、実際に気温が1℃上昇することで、干ばつ、山火事、嵐などの災害が発生しています。55パーセントは確かに野心的な数字ではありますが、徹底的な分析のうえに実現可能だと導かれたものであり、「それは必要である」との分析と、「それは可能である」との分析の組み合わせから生み出された結論なのです。

――パンデミックの影響は非常に深刻であり、短期的な対応に重点を置く世界的な傾向のなか、ヨーロッパ委員会は長期的な視点を重視し、パンデミックのさなかでも、気候変動に歯止めをかけようとしています。そのようなことがなぜ可能なのですか。

ティメルマンス　もちろん、いま、人々が最も心配しているのは、自分の健康や仕事、家族や友人など周囲の大事な人のことでしょう。しかし、パンデミックのさなかにあっても、気候変動対策に対する市民の支持は非常に高いのです。人々はその深刻な影響を目撃し、行動しなければどのような事態が起こるのかということに気づいており、EUはこの問題に対処するよう求められています。

次に、産業界が長期的な確実性を求めていることです。産業界は、炭素依存型経済を続ければ未来はないことをとてもよく理解しています。炭素依存を減らしていくにあたり、新たなイノベーションやデジタル化は不可欠で、そこでは多くの投資も必要になります。自分たちの投資が5年後や10年後に座礁資産[★1]にならないよう、予測可能性を得たいと考えるのは当然のことでしょう。

彼らは「自分たちが何に投資しているか、またその結果がどうなるかを完全に把握できるよう、途中で変わることのない長期的な計画や規制をつくってほしい」と求めているのです。企業がEU

に規制を求めるなど、前代未聞です。われわれは、産業界に対して、長期的な計画と予測可能性を提示しなければなりません。

つまり、先ほどのご質問への答えは次のようになると思います――市民と産業界の両方がわれわれをこの結論に導いたのだ、と。

――企業が求めている規制などは、できる限り迅速に導入しなければなりませんね。

ティメルマンス これからの3、4年で導入する必要があります。なぜなら、変革をもたらす投資のサイクルは25年です。私たちが30年後にカーボンニュートラルを実現するためには、ここ数年で十分な投資サイクルを確保しなければなりません。

★1 市場や社会の変化に伴い、価値が下落し、投資額が回収できなくなる資産のこと。二酸化炭素排出量削減を目的として、低炭素エネルギーへの移行が進められた場合、石炭、石油、天然ガスなど化石燃料の資産価値は大きく下がると言われている。

欧州グリーンディールは誰も置き去りにしない

――EUは2050年までに世界初の「気候中立大陸」になることを目指すとしています。欧州グリーンディールが完全に導入されるための中心となる課題は何だと思いますか。

ティメルマンス　最も重要な課題は、誰も置き去りにすべきではないということです。

ＥＵでは、特に中産階級や下位中産階級はパンデミック以前から続く危機の影響に苦しんでおり、その多くは、もはや社会システムとのつながりを感じていません。彼ら・彼女らをふたたび包摂し、「この変革はあなたたちの利益にもなる」と説得する必要があります。ですから、最も重要な課題は「われわれは、この変革において誰も置き去りにしないことを証明できるか」なのです。公正な変革でなければ、われわれは変革を実現できないでしょう。

――先ほど、「市民からの支持はある」とおっしゃいましたが、それと同時に、産業界や市民社会がこのような大変革をきちんと管理していけるだろうかと心配もされているようですが。

ティメルマンス　そのとおりです。われわれの政策に対する強力な支持はありますが、人々は改革の結果として生じる影響を感じ取るまでに至っていません。これまでの産業革命と同様に、ある状況から新しい状況への移行は常に複雑で、困難です。「移行終了時には自分たちはよい状況になる」

と信じることができなければ、人々は抵抗するでしょう。

――同時に、人々の声に耳を傾ける必要があります。包摂的な意思決定を行う、人々の政策へのコミットメントを強化して、この変革の波に加わるようにしていくのですね。

ティメルマンス　自分のしようとしていることは自らの利益になるのだと理解してもらい、人々の支持を得ることは、民主主義下においては最大の課題です。

私はフランスの黄色いベスト運動[★2]から、カーボンニュートラルな経済を実現するために必要な措置を講じるとき、人々を味方につけなければ、人々はそれに抵抗することを痛みとともに学びました。似たような状況を避けるよう、われわれは全力を尽くします。

ですから、われわれが始めようとしている最初の大きなプロジェクトの一つは、「改築の波（建物の大規模な断熱化）」なのです。このプロジェクトの長期的な目標は建物のエネルギー消費を削減することですが、いま、このプロジェクトを開始すれば、即座に中小企業での雇用が生まれるというメリットがあります。

また、「改築の波」は家の改善はむろんのこと、学校や病院などの建物の改善にもつながりますから、人々はこの変化のもたらす、よい結果を目の当たりにすることになります。このプロジェクトは経済活動に結び付いており、パンデミックによって引き起こされた危機から脱するためにも必要なことです。

★2　マクロン大統領政権下のフランスで、燃料価格高騰と燃料税引き上げをきっかけに、2018年夏ごろから大規模な抗議運動が広がった。富裕層優遇の政策に反発した数十万人が参加するデモは、一部で暴動にまで発展した。

デカップリングの実現には楽観的である

――欧州グリーンディールはEUの成長戦略です。しかし、「成長を目指し、かつ炭素排出ゼロを目指すことなど本当にできるのか」と、いわゆる絶対的なデカップリングに懐疑的な人々もいます。

ティメルマンス　実際この20年で、EUの経済は60パーセント以上成長し、なおかつ炭素排出量も減少したのですから、経済成長と環境負荷のデカップリングは可能だと言えるでしょう。

――デカップリングの実現については、楽観的なのですか。

ティメルマンス　私は楽観的です。なぜなら、われわれの行った分析は明確に、炭素排出ゼロと経済成長のデカップリングが可能だということを示しているからです。

もし欧州グリーンディールを実施しなければ、社会や経済は根本的に崩壊し、国々はごくわずかな自然資源を巡って争うことになるでしょう。そのような選択を受け入れることなど、断じてできません。欧州グリーンディールは、次の世代に対するわたしたちの責任なのです。

ヨーロッパ委員会はヨーロッパの長期予算のうち、少なくとも30パーセントは気候対策への直接投資に、20パーセントをデジタル化への投資にしたいと考えています。ちなみにその二つは密接につながっており、気候政策がイノベーションやデジタル化によって牽引されてはじめて、自分たちに必要な経済を実現できるのです。私たちを逆の方向に進ませることを、どんな投資にも許してはいけません。お金も地球環境に害を与えてはいけないのです。

われわれはグリーンディールにおいて、複雑で大きな仕事となる三つの産業分野を特定しています。

第一は、建築分野。先ほどお話しした、「改築の波」でシミュレーションしています。

第二に、輸送です。輸送は二酸化炭素排出量が減少するどころか、増加している分野の一つだからです。日本やヨーロッパでも、非常に重要な役割を果たしている自動車産業は、自動車の生産を内燃エンジンから電気自動車へとドラスティックに変革しなければなりません。これはとても大きな挑戦です。

第三は、農業です。これもとても大きな挑戦です。なぜなら、農業は生物多様性の損失、そして気候変動の主要因だからです。将来、１００億の人々に食料を提供しなければなりませんが、そのとき、自然環境と調和の取れた農業生産であることが必要です。

国際協調は可能か

――気候変動にはグローバルな解決策や対応が必要で、国際協調なしに危機を避けることはできません。EUは、他の国をどのように説得するつもりなのでしょうか。また、世界をどうリードしていきますか。

ティメルマンス　EUは世界の炭素排出量の9パーセントを占めているに過ぎず、誰もついてこなければ、そのリードは意味をなしません。われわれには世界の他の国々を説得する必要があるのです。

炭素排出削減の目標である「マイナス55パーセント」については、パリ協定締結国を説得できると思います。しかしそれ以上の目標は現段階ではおそらく行き過ぎでしょう。目標を5年ごとに見直すなかで、状況は変化していくかもしれませんが。

いま、世界の他の国々を味方につけるのに、かつてないほどのチャンスが到来しています。日本や韓国が2050年までにカーボンニュートラル実現に関与し、大きな投資を行う意欲をもっていることはグローバルなリーダーシップを示すもので、私はとても感謝しています。また、中国が2060年までにカーボンニュートラルを実現すると約束したことも、よいニュースです。以前の中国の姿勢を考えれば、これはとても大きな変化であり、排出量の上限に早めに到達するよう「5か年計画」に取り組んでいくと思われます。

そして、ジョー・バイデン大統領によってアメリカはパリ協定に復帰し、ジョン・ケリー氏[★3]が気候特使に任命されました。ケリー氏は私の親友ですが、彼はトランプ政権下で後退したアメリカの気候変動対策を大いに巻き返していくことになるでしょう。
２０２１年11月にスコットランドのグラスゴーで開催予定のＣＯＰ26[★4]では、世界全体が正しい方向に進んでいることが示されるのではないかと期待しています。

★3　オバマ政権で国務長官を務め、パリ協定のとりまとめにも尽力した。
★4　パリ協定に基づいて気候変動問題を協議するCOP26は2020年に開催される予定だったが、パンデミックを受けて2021年に延期、国際的炭素排出量取引のルールなどで合意できるか、注目されている。

再生可能エネルギーへの転換を進めるには

――気候変動問題の解決に向けて、世界の変革を加速するために重要となるインセンティブは何だと思いますか。

ティメルマンス　たとえば、エネルギー移行は、唯一の重要な要素ではないとしても、少なくとも重要な要素の一つだと言えます。
いまは再生可能エネルギーが化石燃料よりも安くなっていますし、再生可能エネルギーへの投資意欲もかつてないほど高まっています。さらには、再生可能エネルギーをさまざまに組み合わせることで、脱炭素が難しい分野での課題に対処することができます。この課題については水素が大きな役割を果たすと思われます。おそらく、エネルギーの移行は循環型経済やカーボンニュートラル経済への移行の最大の牽引要素になるでしょう。

——エネルギー変革が非常に遅れている国の市民としてお聞きしますが、ＥＵでの経験から見て、もっと素早く変革を行うためには何が決め手になると思われますか。仮に一つ選ぶとしたら、それは規制のようなものでしょうか、それとも、炭素税[★5]など炭素へ価格を付けるということでしょうか。

ティメルマンス　エネルギー変革において、ＥＴＳ[★6]（排出量取引制度）は中核的要素になると思います。炭素に値段を設定するＥＵのＥＴＳはうまく機能しており、パンデミックのような危機の際に底力があることもわかりました。この制度は今後、さらに進化されていくでしょう。中国は独自の排出量取引制度を導入していますし、アメリカのカリフォルニア州などでも排出量取引制度を取り入れていますが、今後、ますますグローバルな展開が必要だと思います。

もう一つの重要なポイントは、すべての主要な投資家たち、世界最大の投資家たちが化石燃料から持続可能な次世代エネルギーへの投資に急速に移行していることです。彼らは、すでに舵《かじ》を切ったのです。

税制も重要な役割を果たします。なぜなら、人々や企業に「エネルギーであれ、その他の原材料であれ、炭素をベースにした原材料を消費することはコストを伴う」という事実を認識してもらうことが必要だからです。それは、自然に対して負担を与えていることへのコストなのです。私たちは、本来、商品に課すべき価格が割り引かれていたことを知らなければならないのです。

★5　炭素税は、化石燃料の使用など炭素を多く排出する活動や商品に課される。日本では、2012年から石油、ガス、石炭の輸入品に対して二酸化炭素1トン当たり3ドル未満(289円)の地球温暖化対策税が導入されている。なお、IMF(国際通貨基金)の予測によれば、2030年までに1トン当たり75ドルの税を課せば、地球の平均温度の上昇を2℃までに抑えることができるという。

★6　国や企業などが温室効果ガスを排出できる量を設定し、余剰排出量や不足排出量の取引を通じて、全体の排出量を抑制する制度のこと。EUは2005年からEU ETS(欧州連合域内排出量取引制度)を導入。また、東京都は2010年から「東京都キャップ&トレード制度」としてETSを実施している。

化石燃料への依存を続ければ人類は生き延びられない

――私たち人類は約200年にわたって化石燃料文明を謳歌《おうか》してきました。EUは、その文明に終止符を打とうとしています。2050年までに実現するには、これからの2、3年がカギになるとのことですが、この

チャレンジにはどれほどの困難が待ち受けているのでしょう。

ティメルマンス　これは、とてつもなく大きなチャレンジです。しかし、率直に申し上げましょう。化石燃料が私たちに現在の文明をもたらしたのは確かですが、いま、化石燃料への依存症から抜け出さなければ、私たちは滅びてしまいます。でも地球は生き残ります。地球は、かつて人類なしでも存続してきましたし、これから人類が誰一人いなくなっても存続していくでしょう。

――しかし、化石燃料の誘惑や依存症はとても強力です。「機関投資家が化石燃料から離れれば価格は急落するかもしれないが、そうなれば、人々は誘い出されるように、安くなった化石燃料をもっと使うようになる」と考える人々もいます。そうしたストーリーや経済のあり方を変えるよう、国や企業は連携してリーダーシップを発揮しなければなりません。

ティメルマンス　もちろん、間違った方向に進みかねないものはたくさんありますが、足並みはそろいつつあるというのが私の見立てです。世界各国は気候変動問題への取り組みを強化し、結束しつつあります。産業界も、時には引き延ばしをしたがりますが、最終的には何が起きるかを理解しています。そして最も重要なのは、市民が気候変動の影響を目にし、私たちが行動しなければどうなるかをわかっているということです。

――これからの10年の重要性をどう表現して伝えたいですか。

ティメルマンス　私には最近、孫が生まれました。孫をはじめて抱いたとき、「これからの数年でやるべきことをやらなければ、この子は20年後にその影響を受けることになる」と思いました。いま、社会で責任をもつすべての人々に「これからの数年できちんと仕事をしなければなりません。そうしなければ、状況を是正するのは極めて難しくなる」と伝えたいと思います。

――EUが「2050年までに炭素排出ゼロ」という目標を実現するには、持続可能な食料システムや循環型経済への移行など、主要な社会制度の劇的な変革が必要であり、規制や規則の迅速な導入が必要です。

ティメルマンス　30年後にカーボンニュートラルを実現したいなら、これからの数年で確実に状況を是正しなければなりません。そして、システムを変革するための標準化、規制や規則の導入はこれから3、4年で行われなければならないでしょう。気温が上昇し過ぎれば、人間の活動はもはや気候変動の影響を修正できないようなティッピング・ポイントに達してしまうからです。

私たちが落ちかねない罠《わな》の一つは、「何もしなければ、すべては同じ状態のまま続く」と信じてしまうことです。しかし、それは錯覚です。私たちが行動しようがしまいが、状況は変わります。だから私たちは、状況を正しい方向に変えられるように動くべきなのです。

未来への展望

「脱炭素」へ舵を切る日本

山下健太郎

2021年4月、気候変動サミットがオンライン形式で開かれ、40の国と機関の代表が参加した。主催者であるアメリカのバイデン大統領は、自国の温室効果ガス排出量を2030年までに2005年に比べて50パーセントから52パーセント削減するという新たな目標を表明し、「この危機はどの国も一国では解決できない。われわれはこの課題に対処するため、速やかに行動しなければならない」と演説。各国にもさらなる行動を求めた。

これに呼応するように日本も、菅義偉《すがよしひで》首相が2030年に向けた温室効果ガス排出量の削減目標について、2013年度に比べて46パーセント削減することを目指すと表明し、さらに50パーセントの高みに向けて挑戦を続けていく考えを示した。しかしこの日本の目標については、温暖化対策を求める世界の若者たちのあいだから、「不十分だ」との声が上がっている。

各国の気候変動対策を調査している海外の分析チーム「クライメート・アクション・トラッカー」は、2021年3月に、ある報告書を発表した。その中で、「1・5℃目標」を達成するには、二酸化炭素排出量世界5位の日本は「2013年に比べて、62パーセントの削減が必要」だと分析されていたこともその理由の一つだろう。

一方、従来の日本の削減目標は26パーセントであり、日本にとっては46パーセントの削減であっても達成は非常に困難だという指摘もある。2013年度から2019年度までの6年間に削減された排出量を見ると、年2パーセント強のペースに過ぎない。今回政府が掲げた、「2030年度に46パーセント削減」を達成するためには、この先、毎年約3パーセントのペースで減らす必要があるのだ。

では、日本はどのように46パーセント削減を達成しようとしているのか。

この原稿を執筆している2021年6月現在、関連するさまざまな政策についての議論が進んでいる。その一つが、国の中長期的なエネルギー政策の方針「エネルギー基本計画」の改定だ。

再生可能エネルギーの導入量をどこまで増やし、石炭火力など化石燃料への依存をどこまで減らすことができるのか。そして福島第一原発事故を経験した日本として、原子力発電をどう位置付けるのか――。難しい選択が迫られている。

そして、「カーボンプライシング」。炭素に価格を設定して、二酸化炭素を排出した量に応じて、企業や家庭に金銭的なコストを負担してもらう仕組みだ。

具体的には、企業などに対し二酸化炭素の排出量に応じて課税する「炭素税」、企業などが排出できる二酸化炭素の上限を設定して、上限を超える企業が上限に達していない企業からお金を払って必要な分を買い取る「排出量取引制度」が検討されている（74ページ参照）。

カーボンプライシングを本格的に導入することになれば、一部の企業には新たな負担となり、効果を高めようとすればするほどその度合いも大きくなる。効果的で公平な仕組みにできるのか、こちらも制度設計は簡単ではない。エネルギー基本計画もカーボンプライシングも一見すると難解で遠いもののように感じられるかもしれないが、私たちの暮らしに直結する政策だ。

地域も主役になる時代

2021年5月、参議院本会議で重要な法案が成立した。改正地球温暖化対策推進法である。条文の中に、「2050年までの『脱炭素社会』の実現」という基本理念が明記されたことで、政権が変わったとしても脱炭素に向けた方針は容易に変えられなくなり、政策の継続性と予見可能性が高まった。法律には、国だけでなく、国民や地方自治体が密接に連携することが規定されている。つまり脱炭素社会の実現には、地域に住む一人ひとりの力が欠かせない、ということが打ち出されたのだ。

重要な条文の一つが、全国の市区町村が再生可能エネルギーによる発電施設を導入して脱炭素を進める「促進区域」の設定だ。促進区域において認められた事業は、さまざまな手続きが簡素化され、スピーディに再生可能エネルギーの導入が進むようになる。しかし、区域を設定するには、行政が太陽光パネルの設置や風車などの発電施設の建設について地域住民から理解を得なければならない。地域の環境に影響は出ないのか、などさまざまな観点で検討を行い、コミュニケーションを取っていくことが行政と住民、事業者に求められる。

脱炭素の潮流が広がるなかで、「２０５０年脱炭素」を目指すことを公表する地方自治体が増えている。こうした自治体は「ゼロカーボンシティ」と呼ばれ、環境省もその取り組みを後押ししている。その数は、２０２１年6月11日時点で、東京都、横浜市など４０７自治体（40都道府県、242市、7特別区、98町、20村）、総人口1億１０５１万人に上る。

２０２０年12月に、気候非常事態宣言を発出した京都市の取り組みを見てみよう。

京都市は、翌21年3月、地球温暖化対策計画を策定し、その中で京都市内の二酸化炭素排出量を２０５０年実質ゼロ、２０３０年に40パーセント以上削減（２０１３年比）とする目標を掲げ、２０２１年から２０３０年のあいだに進めるべき施策をまとめている。重要な柱となるのは、もちろん再生可能エネルギーだ。現状で15パーセントとなっている消費電力に占める再生可能エネルギーの比率を、２０３０年時点で35パーセント以上にまで引き上げる計画を打ち出している。

住民や事業者に再生可能エネルギーへの切り替えを促すこととともに力を入れているのが、市内での太陽光発電量を増やすことだ。条例を改正して、これまで延床２０００平方メートル以上の新築・増築の建物にだけ適用されていた太陽光パネルの設置義務を、３００平方メートル以上と対象を広げる。また、既存の建物に対しても、初期費用がかからず屋根にパネルを設置できる、いわゆる「0円ソーラー」の導入を進めるために、「0円ソーラー」事業者と建物の所有者とのマッチングも行っている。

エネルギー消費量の削減も重要な課題である。これまでは大規模事業者に削減計画書の報告を義務付けるにとどまっていたが、中規模の事業者にもエネルギー消費量などの報告を求めることで、排出量削減への意識向上を進めようとしている。

京都市の計画の特徴は、基本方針に「2050年の京都の姿――目指す社会像――」という項目を掲げたことだ。ドラスティックに排出量削減を進めるには、ライフスタイルやビジネスのあり方に大転換が必要になる。ただ削減の目標を示すだけでなく、2050年時点で目指すべき「暮らし」「仕事」「まち」のイメージを併せて提示して、そこから逆算して2030年までの10年をどう進んでいくのか、プランニングしようというわけだ。

このように目指すゴールを設定し、そこを起点に目標達成に向けてやるべきことを検討する考え方を「バックキャスティング」と呼ぶ。過去の実績や現状からできそうなことを積み上げて考える「フォアキャスティング」の対義語で、前例にとらわれない挑戦に取り組む際に重視される考え方だ。

ちなみに京都市の計画の中には、「観光旅行者との脱炭素社会像の共有」という記述がある。これは観光都市・京都ならではのものだろう。観光中も京都の脱炭素の取り組みに協力してもらい、旅行者にも環境への意識を高めてもらいたいのだという。地域の実情や特徴に合わせて地球温暖化対策をどう進めていくのか、今後は、それぞれの自治体が知恵を絞っていく時代になる。

ジェレミー・リフキンの警告

国や自治体が大慌てで脱炭素に取り組む背景には、温暖化の進行をくい止めるという目的に加えて、経済活動の新たな条件として対応が避けられなくなっている側面も大きい。名だたるグローバル企業がカーボンニュートラルを宣言。自社の活動を再生可能エネルギーで賄《まかな》おうという動きが加速している。

マイクロソフトは２０２０年、「２０３０年脱炭素達成」に加えて、自社の排出量よりも植林などによる吸収量が上回る「カーボンネガティブ」を目指すと宣言。トヨタ自動車は２０２１年、車の組み立てやエンジン製造など自社工場におけるカーボンニュートラルを２０３５年に実現するという新たな目標を打ち出した。もともとは２０５０年としていた目標を大幅に前倒ししたかたちだ。こうした企業の中には、サプライチェーン全体で脱炭素を進めるべく、部品の仕入れ先にも温室効果ガスの排出量削減を求める動きも出ている。

たとえば、巨大ＩＴ企業のアップルは２０３０年までにサプライチェーン全体の二酸化炭素排出をゼロにする目標を掲げた。つまり、アップルに部品を納入する企業も、アップルとの取引を続けるには脱炭素化しなければならない。工場などの建設場所を検討する際には、その国や地域の再生可能エネルギー供給の状況も考慮することになる。

脱炭素を進めて再生可能エネルギーを豊富に供給できる場所に企業が集まり、そうでなければ企業が出ていく――そんな時代にもなりかねない。今後、全世界的に脱炭素への取り組みが加速し、国家間の競争もより激しさを増していくだろう。果たして、日本は生き残れるだろうか。

ある専門家がわれわれの取材に対し、「このままでは日本は二流国に転落する」と警告した。世界各国で経済政策アドバイザーを務め、『限界費用ゼロ社会』（２０１４年、邦訳15年）などの著作で

再生可能エネルギーの導入実績（2019年）

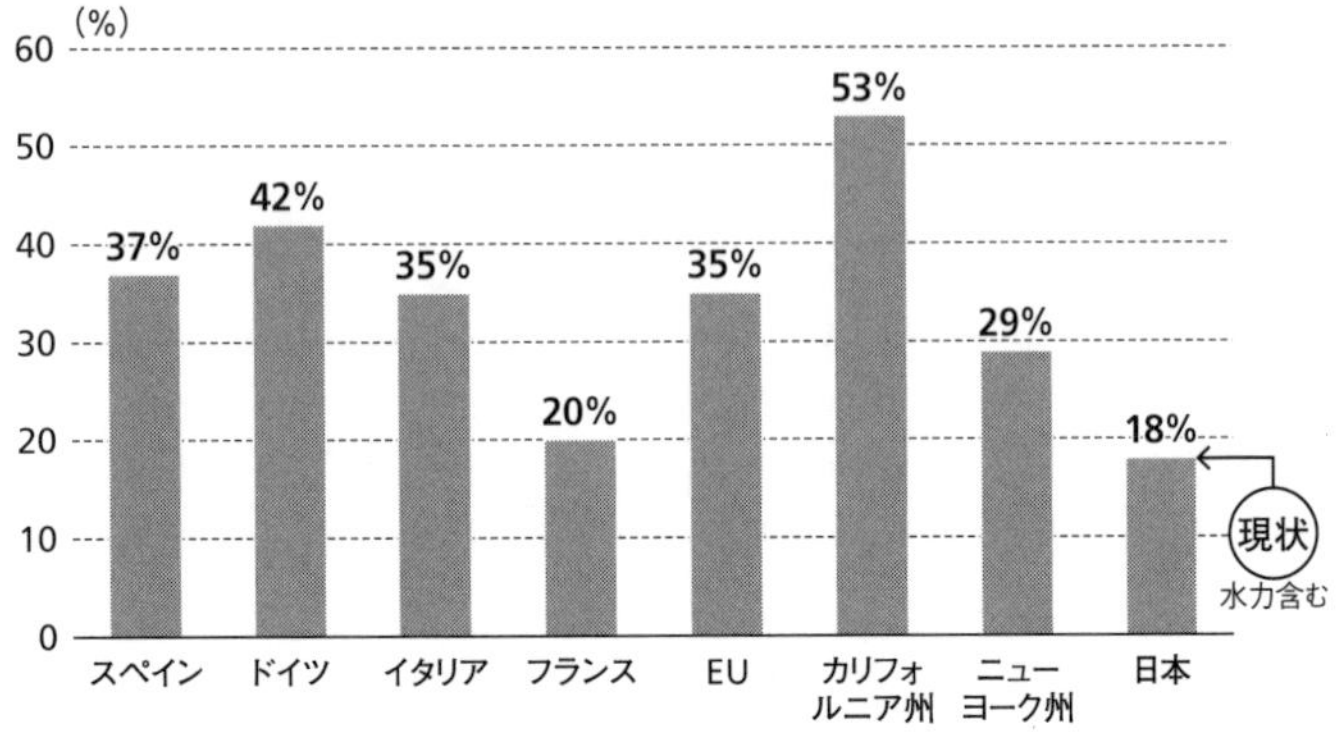

データ出典：国際エネルギー機関（IEA）、欧州連合、米国エネルギー情報局（EIA）などの資料に基づき自然エネルギー財団作成

知られる文明評論家のジェレミー・リフキン氏だ。

リフキン氏が指摘した日本の課題は、化石燃料に大きく依存したエネルギー政策である。２０１９年度の日本の電源構成のうち、石炭・天然ガスなどの化石燃料が76パーセント程度を占めるのに対して、再生可能エネルギーは18パーセント。42パーセントのドイツ、37パーセントのスペインと比較すると、著しく低い。日本ではさまざまな理由で価格が高くなっている再生可能エネルギーだが、世界平均では太陽光や風力が最も安いため、このコストの差が国家間の産業の競争力に大きな差をもたらす、とリフキン氏は皮肉交じりに言う。

「太陽光と風力が安くなっているのに、化石燃料に依存して効率性を高められるはずがありません。太陽光発電や風力発電のコストは今後も下がり続けるでしょう。風と太陽は（燃料代として）請求書を送ってくることはないのですから」

化石燃料依存の先には、さらに別の課題も存在する。

現在、化石燃料、特に石炭による発電に関わる設備や権利への投資がどんどん撤退しているのだ。安価な太陽光発電や風力発電に切り替えが進めば、火力発電所やパイプライン、採掘権などは、費用の〝もとが取れなくなる〟座礁資産（67ページ参照）と呼ばれ、ますます敬遠されるようになっていくというのが、リフキン氏の見立てだ。

「巨大な運用資産をもつ公的年金基金が、化石燃料から手を引いています。日本も含め、世界各地の基金が、です。化石燃料業界から11兆ドルがこの5年間で流出しています。民間年金基金や保険業界も同じ方向に進んでいて、大きな変化が起きています。ただし日本は、市場が『化石燃料は間違っている』と示す転換点が来ているにもかかわらず、石炭火力発電所や液化天然ガス発電所を建設していますがね」

エネルギー基本計画の改定で、再エネ比率の目標を引き上げる日本。再生可能エネルギーへのシフトチェンジを急ぐことで、ふたたび大きな成長を実現できるはずだ、とリフキン氏は訴える。

「日本にはいま、新しい産業革命を主導するチャンスがあるのではないでしょうか。情報通信・モビリティ・物流の分野でワールドクラスの企業が存在するからです。それらの分野がすべて次の時代の技術へと移行したように、電力システムも変わるべきだと思います。いまが日本にとっての、正念場。日本は世界第三の経済大国であり、アジアや世界で大きな発言力をもっているわけですから、その知識と文化的な力を活かせば、次の時代への革命のリーダーになれるはずです。変革を進め、日本にこの新しい時代をリードさせるべきです。始めましょう。明日の朝から」

気候を巡る不公平

国際環境NGOのオックスファムが、2020年、一つのレポートを発表した。

大気中の温室効果ガス排出量が倍になり、温暖化が急速に進んだ1990年から2015年までの排出について、どのような人がその責任を負っているのか、所得別に内訳を分析したものだ。それによれば、世界人口のほぼ半数を占める年収約63万円以下の低所得層の排出量は5・6パーセントにとどまっていた。一方、世界人口の10パーセントに当たる、年収約400万円超の高所得層の排出量は、全体の半分近くを占めていた。

このレポートが示すのは、地球温暖化は、先進国を中心にした豊かな生活を送る人たちによって引き起こされている、という事実だ。では、その先進国の人々は排出量に応じて温暖化の被害を引き受けているだろうか。必ずしもそうはなっていない。発展途上国に暮らす人、貧困状態にあり、社会的に弱い立場にいる人ほど、環境の変化に対して脆弱で、より影響を受けやすいからだ。

われわれは、毎年のように水害に見舞われるバングラデシュを取材した。

南部のクトゥブディア島に住むある女性は、洪水で5年間のうちに5回も住む場所を流され、転居を繰り返していた。収入は、1日300円。車もスマートフォンもテレビももっていない。つまり、エネルギーをほとんど消費していないのだ。

自身はほとんど温室効果ガスの排出に関わっていないのに、温暖化による被害は彼女を直撃していた。それはまさに〝気候を巡る不公平〟だ。オックスファムでこの調査を担当したティム・ゴア

所得と二酸化炭素排出量の関係

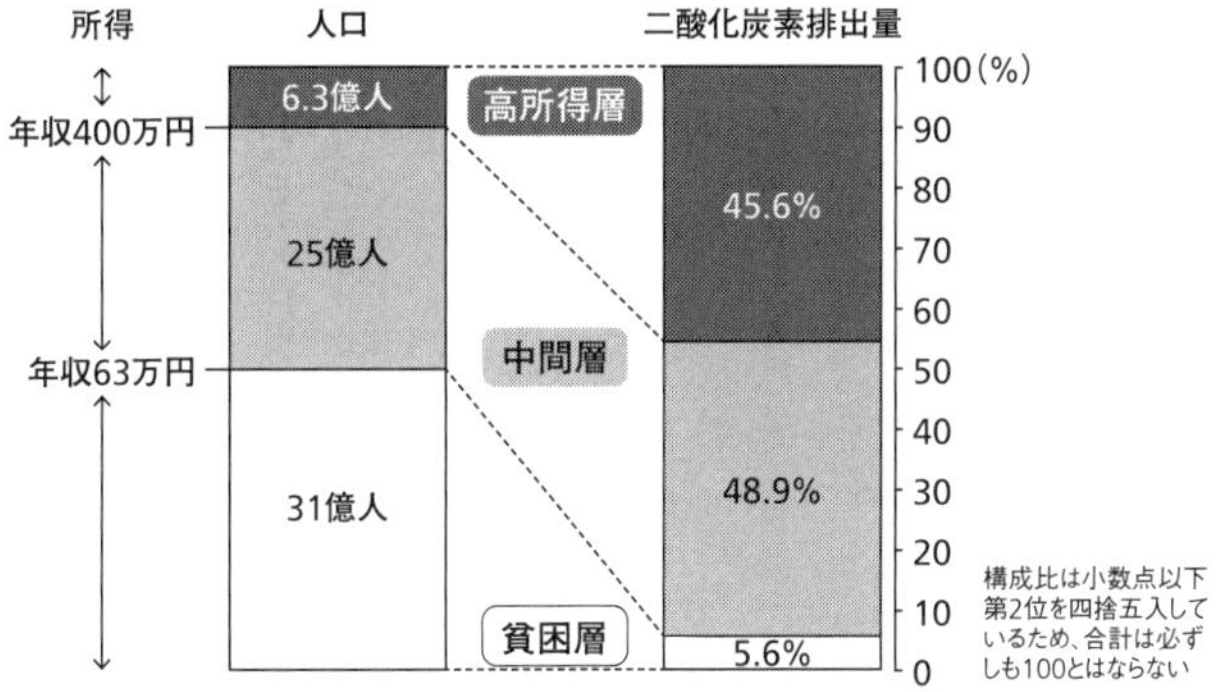

氏（当時）は、格差の主な原因になっている飛行機のビジネスクラス利用などへの課税と、貧困層への生活支援がセットで行われるべきだと提言したうえで、こう訴えた。

「私たちが当たり前だと思っている生活が問題の一端を担っています。不平等は多岐にわたり、責任が最も少ない人が最悪の代償を払うこの格差が、気候危機における不平等の核心です」

動き出した日本の若者たち

世代や地域によって生じる温暖化による影響の格差や不公平。それを是正しようという考えを「気候正義」と呼ぶ。この気候正義の実現を強く訴えているのが、若者たちだ。

自らが将来温暖化の影響を受ける〝被害者〟であると同時に、先進国の国民であれば大量の温室効果ガスを排出し続けている〝加害者〟でもあるという二重性が、彼ら・彼女らを行動に駆り立てる動機となっている。

日本でも若者たちの活動は、少しずつ広がりを見せている。先ほど自治体による脱炭素の取り組みを紹介した京都市も、実は、若者たちの活動によって政策が後押しされていた。

「Fridays For Future Kyoto」は、2020年2月に行われた京都市長選において、あるユニークなアクションを起こした。候補者一人ひとりに気候対策を質問し、そのやりとりの動画をYouTube上でアップするというものだ。欧米と異なり、温暖化対策が選挙の争点にはなりにくい日本の政治に小さくも一石を投じたとして注目を集めた。

彼ら・彼女らの活動は選挙期間中だけにとどまらなかった。当選した門川大作《かどかわだいさく》市長と面会して、温暖化対策を巡って意見交換も行っている。また、温暖化対策計画について市民から意見を募集するパブリックコメントにも若者たちで議論して提言を送った。提言書は20ページにわたり、学生への環境教育、菜食を中心にした食生活の推進、シェアリングの活用による交通手段の転換などを具体的に訴えた。そのすべてが受け入れられたわけではないが、京都市の担当者によると、温暖化対策計画の中でライフスタイルの側面を強く打ち出した背景の一つに、FFF京都の若者たちから受け取った提言があったという。

さらに、京都市は2021年3月に石炭火力発電からの脱却の加速化を目指す国際的な連盟「脱石炭連盟」に日本の自治体としてはじめて加入したが、これも脱石炭を求める若者たちの意見を取り込むかたちで決められたという。FFF京都のメンバーは言う。「決して世代間の対立を煽《あお》りたいわけではなく、連帯をしたいのだ」と。京都市と若者たち、温暖化対策についてすべての考え方が合致しているわけではもちろんないだろうが、市民の政治参加を考えるうえで一つのヒントになるように感じる。

そして2021年8月、地球温暖化に関する重要なニュースが飛び込んできた。

ＩＰＣＣが第六次評価報告書（第一作業部会）を発表したのである。この最新の報告書でＩＰＣＣははじめて地球温暖化の原因が人間の活動によるものと断定した。8年前の第五次報告書では「温暖化の主な要因は、人間の影響の可能性がきわめて高い」としていたが、今回さらに踏み込んで「人間の影響が大気、海洋および陸域を温暖化させてきたことには疑う余地がない」と記したのである。そして、温暖化が進めば、熱波や豪雨といった「極端現象」の頻度や強さが増すことを最新の知見を基に明らかにした。

国連のアントニオ・グテーレス事務総長は、「この報告書は、人類に対する厳戒警報です。警鐘が大音量で鳴り響き、その証拠に反論の余地はありません。私たちの社会が存続できるかどうかは、政府や企業、市民社会の指導者たちによる気温上昇を1・5℃に抑える政策や行動、投資への団結した支持にかかっています」と訴えた。科学と若者の声を聞き、世代を超えて行動を始めることが、いままさに求められている。

第 2 部

飽食の悪夢

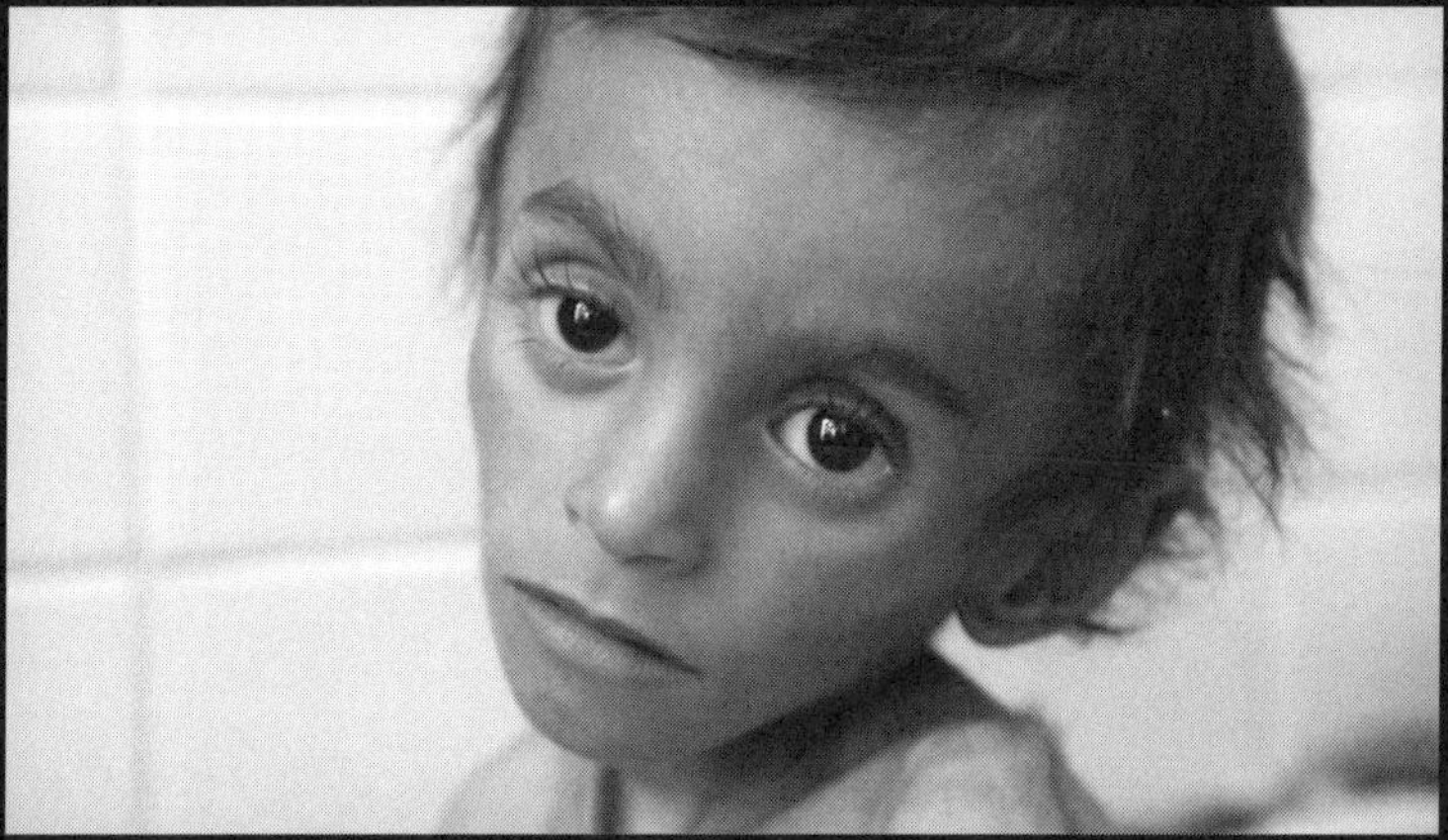

世界最貧国の一つ、イエメンでは230万人の子どもが
深刻な飢餓に直面しており、10分に1人の割合で死亡している
（画像提供／公益財団法人 日本ユニセフ協会）

いま何が起きているのか

食料システムの脆弱性が招く〝文明崩壊〟は回避できるのか

岡田朋敏（NHK仙台拠点放送局）

世界を襲った飢餓のパンデミック

２０２０年４月、世界は新型コロナウイルスのパンデミックが猛威を振るい、混乱に陥っていた。パンデミックは思わぬ地球上の弱点を次々と浮き彫りにしたが、その最たるものが水・食料だった。国連は4月21日、パンデミックが引き金となり、食料供給が脆弱な国々で飢餓が起きる恐れがあると警告した。世界各地で食料支援を行っている国連のＷＦＰ（世界食糧計画）は、深刻な飢餓に直面する人の数がパンデミック以前と比べほぼ倍増し、２億６５００万人に達すると予測。ＷＦＰのデイビッド・ビーズリー事務局長は安全保障理事会で、「（世界は）飢餓のパンデミックの危機にある」と発言した。

実際、各国で、食料支援を求める長蛇の列が出現した。

われわれが確認しただけでも、もともと食料事情が不安定なアフリカや紛争地帯のみならず、パキスタン、トルコ、チリ、メキシコ、そして先進国でもアメリカ、ロシア、ドイツ、スイスなどで人々が列をなして支援に頼るしかなくなっていた。

アメリカではニューヨーク、サンフランシスコ、ロサンゼルスなどほぼすべての主要都市をはじめ、全米各地でこうした光景が見られた。多くの地域で、車でやってきては支援団体からボックスいっぱいに詰め込んだ食料をもって帰るために長い車列ができており、その長さが数キロに及ぶ地域もあった。またニューヨークでは何とか支援を得たいと、前の晩から列に並ぶ人々の姿すら見られたのだ。

われわれが取材したブルックリンに本拠を置く支援団体にも多くの人が詰めかけていた。アメリカではこうした食料支援団体が雨後の筍《たけのこ》のように自主的に立ち上がり、何とか人々を飢えから守ろうと活動に取り組んでいた。

並んでいた男性の一人は、この事態は想像もしなかったと答えた。

「仕事を失ってしまったんです。妻は在宅で仕事をしていますが、生活が苦しくて、食料が不足して、どこにも行けなくなってしまいました。どんな人にもリスクがあります。助けを求めるのが恥ずかしいという人もいますが、そんなことを言っていられる状況ではないのです」

他の人にも話を聞いたが、いずれも自分が食料支援に頼らなくてはならない事態に陥るとはまったく想像していなかったと答えた。支援団体の担当者はこう話す。

「季節が変われば、状況も変わり、すぐに終わると思っていました。しかし間違いでした。人々にはどうしても必要なものがあるのです。私たちは、他の食料配給所などと連携して何とかしていきたいと思っています」

アメリカ最大の食料支援団体である「フィーディング・アメリカ」によれば、アメリカ人の8人に1人、4200万人が食料支援に頼らざるをえなくなる恐れがあり、子どもだけでも1300万人に及ぶ可能性があるという。2020年末には、2019年に比べて50パーセント近く増加していた。

同団体のホームページ上には次のように書かれている。

「今回のパンデミックは、すでに飢餓に直面している家庭や、あと一歩のところで飢餓に直面しそうな家庭に大きな影響を与えています。アメリカ農務省の最新レポートによると、2019年にアメリカでは3500万人以上が飢餓を経験しており、国内のすべてのコミュニティに、飢餓に直面している家庭があります。食料不安を抱える家庭の多くは、政府の支援を受ける資格がなく、地元のフードバンクなどにさらなる支援を求めています。子どものいる世帯は、食料不安を経験する可能性が高いです。飢餓のないアメリカを実現するためには、飢餓の根本原因や構造的・制度的な不公平に対処しなければなりません」

貧困にあえぐ国ではさらに過酷な状況が生まれていた。

今回のパンデミックの前から、世界の貧困地域の多くで衛生的な水が得られないことが指摘され続けてきた。しかし、こうした状況は放置され、感染対策が遅れたのだ。その結果、感染拡大が長引き、大量の失業者が生み出された。海外で出稼ぎに出た家族から生活費を送ってもらって暮らしている人も少なくないが、海外でも仕事が失われ、生活に困窮する家族が激増していた。

アフリカ最貧国の一つ、モザンビークでは、ＷＦＰの活動が困難を極めていた。

これまでモザンビークは最貧国とはいえ、都市部で食料支援を行わなくてはならない事態には陥っていなかった。都市部に存在するスラム街でも仕事があり、飢えで苦しむ人々は大量に生じてこなかったからだ。しかし、パンデミックによって、最大の都市・首都マプトでも支援が必要になった。支援所には、食料支援を求めて人々が長蛇の列をつくっていた。並んでいた男性の一人は「みんな腹を空かせている。ゴミをあさっている人もいるくらいだ」とわれわれに語った。

政治的に不安定なモザンビーク北部では、残された農地を奪い合い、兵士が民間人を殺傷する事態まで起きていた。突然銃を乱射され、家を追い出された農家の人々がＷＦＰのキャンプへと逃げてきており、２週間やぶの中に隠れ、命からがら逃げ出してきたという家族も多かった。こうした事態が起こると、食料支援は〝負のスパイラル〟に陥ってしまう。本来農地を耕し、自給してきた人々が生活困難な状況に追い込まれ、支援が必要になってしまうからだ。

ＷＦＰモザンビークの副代表、エピノラ・カリベさんは、焦燥した様子でわれわれに答えてくれた。

「ＷＦＰは世界から継続的な支援を必要としています。先進国でさえ食料支援が必要な人が長蛇の列をつくっています。ならば、このような国でどうなるかわかるでしょう。３年前からサイクロンを含めて洪水が次々起こっています。そして今度は北部で反乱軍が出現しました。さらにパンデミックです。食料不足の人は日に日に増えています。そしてわれわれの援助資金は日に日に少なくなっているのです」

実際、2020年ノーベル平和賞を受賞したWFPは、授賞式のスピーチでも、「まだ助けられない人々が大勢いる」とコメントし、国際社会からの支援を募った。しかし、実際には5億ドルの不足があり、必要な人全員は支援できない状況に陥ったという。

最新報告書では、飢餓の全体状況も明らかになってきている。

国連が出した「世界の食料安全保障と栄養の現状2021(SOFI 2021)」によれば、異常気象やパンデミックによる経済の減退が深刻さを増し、最大で8億1100万人が飢餓に陥ったと推定されている。世界人口78億人の実に10人に1人以上が飢餓に陥っている計算となる。

WFPは、「新型コロナウイルスの流行がもたらした途方もない困難は、私たちの食料システムの脆弱性を明らかにしました」と述べている。

飽食の日本

では、飢餓の根本原因、食料システムの脆弱性とはいったい何だろうか。それは意外にも身近なものに関係している。それは、〝飽食〟である。

日本は世界一食が豊かな国とも言われている。

日本でも食料支援に頼る家庭の窮状や外食産業の業績悪化も報道されているが、〝食料危機〟をリアルなものとして感じている人は決して多くはない。いくつかのレストランで食料危機が日本で起きると思うかと聞いても、「実感が湧かない」という答えばかりが返ってきた。

一般家庭では、コロナ禍の中で、「巣籠《ご》もり需要」を背景にスーパーやデパ地下などでの高級食材の売れ行きが拡大するなど、日本の食の豊かさは衰えを見せていない。

経済産業省のホームページ「【家飲みでプチ贅沢？】ｗｉｔｈコロナにおける食品市場の変化を探る」によれば、巣籠もり生活の定着で外食から「家飲み」にシフトし、外食産業の消費減分が家庭用へと回り、「高級食材」の家計消費額が上昇。タイ（＋33・5パーセント）、うなぎのかば焼き（＋27・1パーセント）のような高級食材、ほたて貝（＋19・8パーセント）や、タコ（＋18・0パーセント）など、比較的高級な海鮮類の支出額が上昇したとしている。さらに、弁当や惣菜のように調理・加工された食品の消費上昇も注目すべき点と分析されている。

実際、スーパーの総菜売り場やデパ地下は、目のくらむような豊かな食品で溢《あふ》れているし、世界中の料理を味わえる日本のレストランでも、食材がなくて店が開けられないという事態は聞いたことがない。

しかし、こうした飽食は、膨大なひずみも生んでいる。

それが食品廃棄物の問題だ。パンデミックによって高級食材が各地で消費しきれずに無駄になりそうになっているなどの報道が相次いだが、実際にはそれどころではない巨大な〝無駄〟が日々生じているのだ。そのひずみは、食料システムそのもののひずみでもある。

食品廃棄物を日々受け入れている事業所の一つ、神奈川県相模原市にあるフードエコロジーセンター。ここでは、神奈川県内を中心に、１８０か所以上の事業所から1日約35トンの食品廃棄物を受け入れている。

われわれが訪ねたときも、パンやピザの生地、ケーキに使うイチゴ入りの生クリームや、ドーナツ、新鮮そうに見える野菜などが大量にカーゴに入れられて届けられていた。ホームページには、主要取引先として大手百貨店各社やコンビニ、スーパーや食品メーカーなどそうそうたる企業が並んでいる。

この会社を立ち上げた代表取締役の髙橋巧一《たかはしこういち》さんが食品廃棄物の入ったトレーの中身を見せながら説明してくれた。10リットル以上入る大きな容器いっぱいに、食べられそうなご飯が入っていた。

「コンビニのおにぎりとかお弁当をつくっている工場で炊き過ぎてしまったごはんとか、ちょっとかたちの崩れたおにぎりとかなのですが、こういったご飯だけで1日5トンから10トンぐらい、毎日入ってくるんですね」

そのすぐそばには、ピザの生地のようなものが大量に詰め込まれたかごもある。

「失敗したものとか、かたちの悪いものとか、日本人は特にかたちにこだわりますので」

基本的にはいわゆる食べ残しは来ないのだそうだ。こうした状況が、この問題の深刻さの一端を垣間《かいま》見せている。

ここでは、食品廃棄物を豚の餌としてリサイクルしている。しかし、業界全体では、ほとんどリサイクルされておらず、1キロ数十円かけてすべて焼却するため、国全体で焼却に年間8000億円の税金が使われているという。

「365日24時間、（店には）お弁当とかおにぎりが並んでいますよね。そのためにフルタイムでつくり続けると、どうしてもロスになってしまうご飯とか、かたちの崩れてしまったものが出てしまう。

いつでも何でも食べられる暮らしの裏側にこういった事実があることは知っていただきたいです」

食品廃棄物とは

ここで、少しくわしく食品廃棄物の現状について説明したい。

２０２０年４月農林水産省発表の資料によると、食品関連事業者から出される食品廃棄物は７５２万トンで、そのうちまだ食べられる可食部分は３２８万トンと推計されている。これに加え、一般家庭から７８３万トンが排出されており、そのうち可食部分は２８４万トンに上る。つまり、合計でまだ食べられるのに捨てられている食品廃棄物、いわゆる食品ロスは６１２万トンにも上っている。実に、５キロの米袋で12億袋以上となる。２０２０年、ＷＦＰが１億１５００万人を支援するために配った食料４２０万トンの１・５倍に当たり、２億人近い人を救える量だ。

しかも、そこには輸入食品も大量に含まれている。食料自給率37パーセント（カロリーベース）の日本は、海外からわざわざ輸入しては捨てているのだ。

ちなみに、この「食品ロス」という言葉は、日本独特の用語で、海外では「Food Loss & Waste（フードロスとウェイスト）」と呼ばれている。２０１９年に国連のＦＡＯ（食糧農業機関）が出した報告書「The State of Food and Agriculture 2019」では、収穫時以外の、生産・加工・パッケージングなどの各段階で生じる食品廃棄物のうちまだ食べられるものを「フードロス」、小売店やレストランなど食品サービス事業者から先、家庭で生じるものも含めて、無駄になっている食品を「フードウェイスト」と呼んでいる（ちなみに、この「The State of Food and Agriculture〈SOFA〉」と、先述の「世界の食料安全保障と栄養の現状〈SOFI〉」は、世界の食料状況を知るにはいちばん基本的な文献になっている）。

そして世界全体になると、問題の規模はさらに大きくなる。

FAOの試算によれば、生産された食品のうち3分の1が「食品ロス」になっているという。単純に計算どおりに解決できるわけではないが、食品ロス問題が解決するだけで、量的には2020年に8億人以上の人々が陥った飢餓問題はゆうに解決してなお余るくらいの規模なのである。

つまり、世界中に巨大な飢餓のパンデミックの波が押し寄せる一方で、飽食によって膨大な無駄が生まれていることがわかる。そして、飢餓と飽食がこの世界で同時に起きていることが、最大の問題なのだ。

この現状を考えるうえで、カロリーベースでの世界の食料供給状況を見ると、問題のいびつさがさらによくわかってくる。

2020年、全世界で生産された穀物は26・7億トン、過去最高を記録している。これを現在の人口で割ると、1日およそ2350キロカロリーとなる。1日に必要なエネルギー量は、成人女性の場合で1400〜2000キロカロリー、男性は2200キロカロリー程度と言われているから、カロリー上は地球上の全人口を養えるくらい十分な量が生産されているのである。そして穀物生産量は第二次世界大戦後、増加を続け、1965年ごろに比べて3倍以上に増えている。

にもかかわらず、飢餓人口は2014年を境に、増大に転じている。数十年間、減少し続けてきたが、この年を境に増加に転じ、2020年にはパンデミックの影響を受けて激増した。

肉食と資源獲得の格差

いま、２０３０年に向けて、国連が定めるＳＤＧｓ（持続可能な開発目標）では、飢餓の撲滅《ぼくめつ》が謳《うた》われている。しかし、その達成は極めて厳しい状況だ。生産される総カロリーでは問題ないのに、なぜこれほどの飢餓が起きてしまい、解決が難しいのか。

その最大の原因とされるのが、食料資源の分配の失敗である。誰もが飢えない社会を築くには、生産から消費まで正しく分配される必要があるが、これが機能してこなかったことが最も大きい問題と考えられる。そして、そこに今回のパンデミックのようなかく乱要因が加わると、途端に飢えてしまう人々が急増する。これこそが「食料システムの脆弱性」と言われる、根源的な問題なのだ。

この食料システムの脆弱性を考えるのに、象徴的な問題の一つが、肉食である。食肉は地球上の資源をより多く使うことで生産される食品だからだ。

第二次世界大戦後、肉食が世界中に広がり、肉の消費量は拡大し続けてきた。１９６０年には世界全体で５０００万トンに満たなかった食肉生産量は、２０２０年には牛肉はおよそ６０００万トン、豚肉９６００万トン、鶏肉１億トンで、合計約２・６億トンにまで拡大した。60年間におよそ６倍に拡大したのである。しかし、１９６０年当時の人口は30億人で、現在は78億人だから、人口は２・５倍にしか膨らんでいない。つまり、一人当たりの肉を食べる量が単純に増え続けたのだ。日本でも近年横ばいに近づいているものの、戦後長いあいだ、増え続けてきた。

特に、地球上の資源を大量に集約して生産されるのが、牛肉だ。

現在、世界の食肉市場の規模は約200兆円相当に上るとも言われる。経済的に豊かになった国が率先して消費量を増やしてきた牛肉は単価も高いため、豊かさの象徴とされている。たとえば、中国では牛肉消費量が1990年代から急増。2016年にはアメリカに次ぐ世界第2位の輸入国となっている。その一方で、アフリカの一人当たりの消費量は北米の5分の1未満だ。

われわれは、牛肉の生産プロセスを知るために、世界中の肉食を支える一大産地、アメリカ中西部・カンザス州を訪ねた。見渡す限り地平線しか見えない広大な畜産場に、数えきれないほどの牛が飼育されている。650万頭に及ぶ大量の食肉牛が育てられ、年間280万トンの牛肉を生産しているという。

言うまでもなく、アメリカは牛肉の需給において、世界のカギを握っている。生産量、消費量、輸入量で世界1位で、ブラジル、オーストラリア、インドに次ぐ世界4位の輸出国だ。日本の62万トンの輸入牛肉のうち24万トンがアメリカ産だ。

そのカンザス州の牧場で配られていた餌が、大量のトウモロコシだ。もともと牛は、牧草を食べて育つ生き物だが、1960年代から穀物飼料を使うように変わっていったという。

穀物飼料は牧草に比べ、経済効率が高く、肉の大量生産が可能になるとの触れ込みで広がった。過去に穀物価格が暴落と暴騰を繰り返したため、農家と「穀物メジャー」と呼ばれる販売企業が高値で安定的に売るために、世界的に販売網を拡大させたことが背景にあるとされている。

しかし、それは牛を育てるのに地球の資源を過剰に使うという皮肉な結果を生んだ。牛肉1キログラムの生産には6~20キロの穀物が必要だと言われており、世界の食肉生産量全体を賄うためにつくられている穀物は、世界で生産される穀物の実に3分の1に達する。当然それを育てる土地、水が必要となる。

たとえば、日本では飼料穀物は輸入に頼っており、その量は約１２００万トン、穀物を育てる面積に換算すると４５０万ヘクタール以上の耕地が必要な量となる。日本の耕地面積は４３７万２０００ヘクタールなので、日本全国のすべての農地に匹敵する土地とそれを育てる水がない限り、日本人の肉食は支えられないことになるのだ。つまり、それほど膨大な土地、その作物を育てるのに必要な水が集約され、食肉になっている。牛肉の消費地は、経済的に発展を遂げている地域が多いことを前提に考えれば、アフリカに住む人と日本に住む人を比べたとき、一人当たりの消費量は3倍以上違う。地球上の土地利用、穀物消費で比較すれば、莫大《ばくだい》な格差を前提にした食生活が行われていることになる。

世界中で深刻化する水資源の枯渇

肉には大量の水資源も使われている。肉を生産するには、餌の穀物を育てる水や、清掃や牛の飲用に使うなどの水が必要だが、こうした一つの製品をつくるのにかかる水を計算した「ウォーターフットプリント」という指標がある。たとえば、１キロの牛肉に必要な水は、１万５５００リットルに及ぶと推計される。つまり２００グラムのステーキ1枚でも、風呂桶《おけ》が約２００リットルとすると風呂16杯分、３１００リットルの水の消費となる。いかに大量の水を消費しているかわかるだろう。

しかも、いま、地球上の水資源は極めて限られてきている。

地球は、「水の惑星」と呼ばれ、3分の2は水で覆われているため、約14億立方キロメートルの水があると言われている。しかし、実はわれわれが利用可能な水は、そのわずか0・01パーセント程度しかない。97パーセントの水は塩分を含む海水で、残りの淡水も、大半は氷河など利用できない氷の形態で存在する。液体の水の多くも、奥深い地下水であるために利用できないのである。

日本は淡水が豊かな国であり実感をもちにくいが、世界では水の争奪戦が行われている。生活が豊かになるにつれ、人々が利用する水は増加する。最大の利用先は、農業だ。1キロの穀物の生産にはその1000倍以上、つまり1トン以上の水が必要とされており、農業用水は全利用量の7割に達している。

ではどれくらい深刻なのか。たとえば、水資源の枯渇を示す代表的な尺度に「人口一人当たりの利用可能水資源量」を表す「水ストレス」と呼ばれる指標がある。

WRI（世界資源研究所）がウェブ上で発表している「WRI Aqueduct Water Risk Atlas」を見ると、そのリスクが一目瞭然となる（この本ではカラーのため掲載できないが、詳細なデータが見られるのでウェブ上でぜひ確認してみてほしい）。サイトでは、水に関するさまざまなリスクを表示できるが、水ストレス（Water Stress）を選ぶと、世界中にリスクが広がっていること、特に穀倉地帯など農業の盛んなところでは水が枯渇する危険性が高い地域ばかりだとわかる。

実際、いま、穀倉地帯の大地には不気味な異変が起きている。

アメリカ中西部・カンザス州の広大な穀倉地帯には、どこまでも続く地平線の中に、緑色の円型のトウモロコシ畑が延々と並んでいる。「アメリカのパンかご（Bread Basket）」である中西部では、地下水に頼って農業生産を行ってきた。この地域は、「大平原（グレートプレーンズ）」と呼ばれ、大きな湖や川もない。ただ、世界最大級のオガララ帯水層という広大な地下水があり、その水をくみ出して灌漑《かんがい》農業が行われてきた。

オガララ帯水層ができたのは中新世後期から鮮新世初期、つまり1500万年前から500万年前にかけてである。もともとはロッキー山脈から流れ出す川だったと考えられており、その後、川や風で運ばれた土砂がこの地域に滞積してできたもので、中西部・南西部の8州に広がっている。

畑では、円の中心に井戸を掘り、そこからくみ出す水を、「センターピボット」と呼ばれる移動式の長さ数キロに及ぶアームが回転する大型機械で畑にまいている。先に述べた緑色の円型の畑はすべてこのようにしてできている。しかし、近年、この帯水層の枯渇が深刻さを増している。

われわれが取材したとき、地下水保全を専門とする州の担当者が地元の農家とともに井戸の調査に訪れていた。井戸の穴をのぞいてみたが、はるか下まで続く金属パイプが見えるだけで水はまったく見えない。担当者は近くにあった石を下に落とすから音を聞いてみろという。彼の手を離れた石がカンカンと金属のパイプにぶつかる音が聞こえてくる。しかし、水の音は聞こえないまま静寂に戻った。

「水の音が聞こえません。危機的状況とわかります」と農家は語った。

その深さを実際に測定すると、事態の深刻さが裏付けられた。担当者は次のように説明する。

「いま、帯水層の水は地表から100メートル下にあります。50年で60メートル以上水位が下がりました。このままでは、あと10年で地下水はなくなります。トウモロコシを育てる水はなくなるのです」

オガララ帯水層の厚さは数メートルから160メートル程度と場所によって幅がある。しかし、潤沢に水がある場所でも水位が下がってしまうと、井戸のパイプが届く物理的限界を超えてしまう。存在しても利用できない水となるのだ。

雨が降れば、水が溜まるのではと思う人もいるかもしれない。しかし、帯水層が生まれたころと現在では大きく気候が変化している。この地域は乾燥帯に属しており、降水量は年間500ミリに満たず、強く乾燥した風で地表の水の蒸発が加速される。その結果、水の溜まる速度は遅くなる。つまり、古代に溜まった水がなくなれば、枯渇してしまうのだ。こうした古代に蓄えられ、増えない水は「化石水」と言われている。化石水は、くみ上げるスピードを落とさない限り、確実に枯渇してしまうのだ。

こうした化石水に依存する地域は世界中に広がっており、地下水の枯渇は全世界に広がっていることが最新の研究で明らかになってきている。われわれは、地下水の将来シミュレーションを研究している、オランダ・ワーゲニンゲン大学のインゲ・デフラーフ助教授（環境学部・水文学）に会うことにした。彼女の研究は、地下水の過去のくみ上げ量と、その周辺の河川の水量からいつ限界に達するかをシミュレーションしたものだ。

その結果は衝撃的なものである。ほとんど世界中の地域で地下水の枯渇が起こるのだ。

「たとえば、（カリフォルニアの）セントラルバレーでは２０３０年に、また、（中西部の）大平原でも２０５０年までに、地下水が枯渇する可能性が高いです。同様の現象が、南欧やインド、パキスタンでも起こります。ですから、今後数十年のあいだに、世界中が同じ問題に直面するのです」

しかも、その場所は２０３０年から急増。２０５０年には世界の7割の地域で地下水の枯渇に直面するという。われわれが言葉を失っていると、デフラーフ助教授は、こう付け加えた。

「この調査では、水の需要を２０１０年の水準で計算しました。それでも破滅的な傾向が示されたのです。実際には需要は増加しています。ですから、おそらく現実の影響は私の予測よりもさらに大きくなり、もっと悪くなることでしょう」

さらに、地下水の枯渇は、周囲に川がある場合、より深刻な事態を引き起こす。本来は、地下水から川へと水が流れているものだが、地下水をくみ上げ過ぎると、川から地下へ水が逆流することで、川の水まで枯渇するというのだ。

２０５０年には、人口が１００億人になる地球。豊かさを求めて人々が肉食の消費量をこのまま増やしていってしまえば、大量の水を消費し、地球上の水資源をより多く投入しなくてはならなくなる。その結果、世界中でさらに水が枯渇する悪夢が現実のものになるのだ。

高級嗜好品も加速させる水資源の枯渇

地球上の資源の偏りは、肉食だけに限らない。

一つの食品を輸入した際にその輸入国の水をどれだけ節約できたかを表す、「バーチャルウォーター」と呼ばれる指標がある。

前述したウォーターフットプリントは「生産国でどれだけ水を消費したか」を表す指標だったが、バーチャルウォーターはその製品を輸入した際に、「どれだけ自国の水を使わないで済んだか」を表す指標である。生産国の消費量と自国の節約量は生産方法などの違いによって、ずれが出てくる場合があり、二つの概念がある。

このバーチャルウォーターで考えると、水資源の偏りの全体像が克明に浮かび上がってくる。1980年代から先進国を中心に取引が活発化。近年は新興国の取引量も急増し、偏りが大きくなっている。

さらに、日本は大量の「水輸入国」でもあることが明らかになる。日本が各国から輸入するバーチャルウォーターは年間80兆リットルに及んでいる。日本国内の水の年間使用量とほぼ同じと考えると、途方もない量だとわかるだろう。つまり、日本は、ふだん使っているすべての水と同じだけの量を世界中から輸入していることになるのだ。そしてその大半は高級食材を含む食料や食肉生産に使う穀物が占めているため、私たちの〝豊かな飽食〟こそ、世界中から水をかき集める原動力になっていることは間違いない。

たとえば、水を多く使うものの一つに、コーヒーやワインなどの嗜好品《しこう》がある。ワイン1本の生産にかかる水はおよそ650リットル。そして、こうしたバーチャルウォーターで換算した〝水の輸入〟は、図らずも現地での格差を拡大し、枯渇を促してしまっていると研究者

バーチャルウォーターに見る水資源の偏り（1986 年と 2011 年の比較）

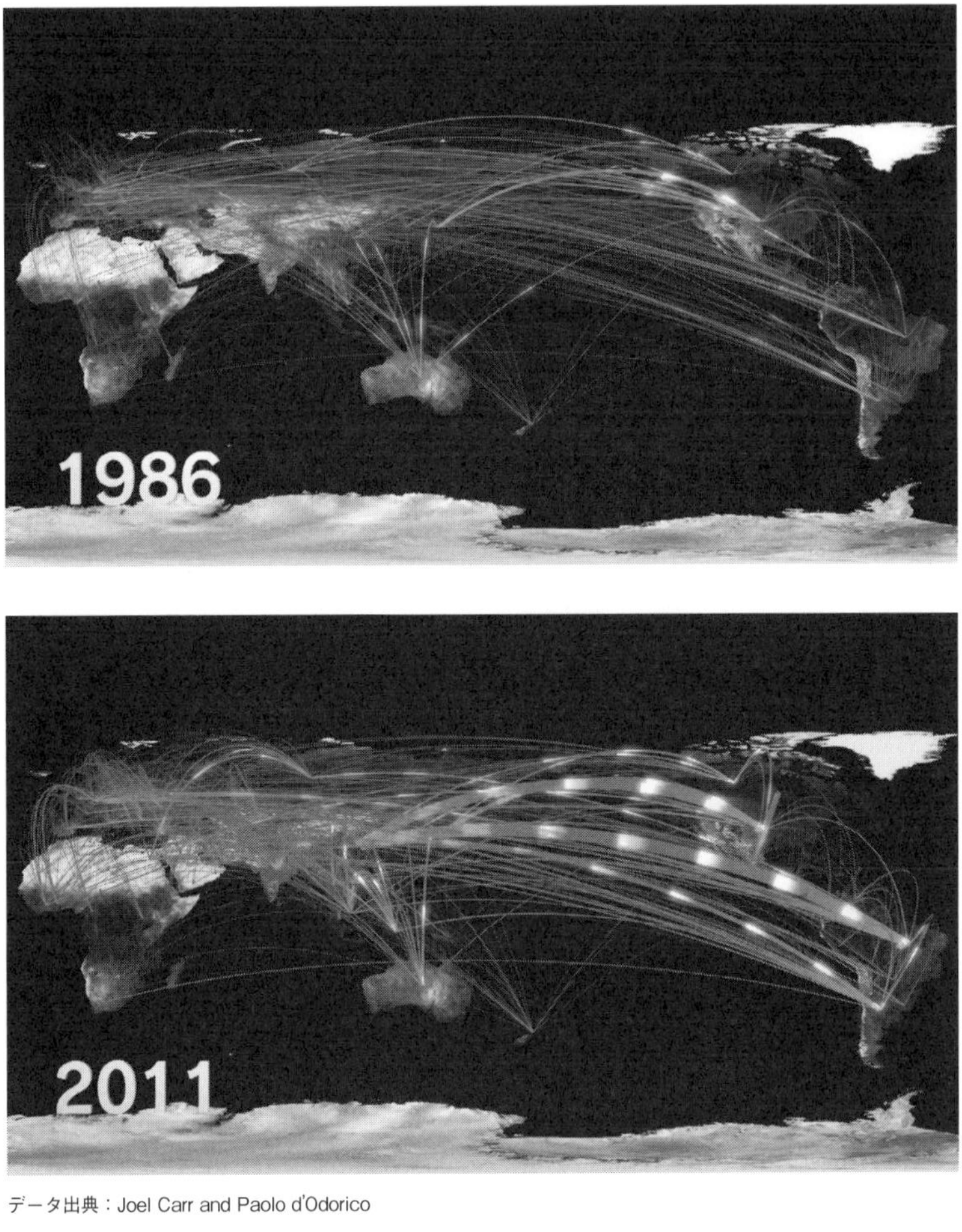

データ出典：Joel Carr and Paolo d'Odorico

は指摘している。

われわれが取材した世界有数のワインの産地、南アフリカ・ケープタウンもその一つだ。近年、南アフリカは、記録的な干ばつに何度も襲われてきた。ダムが干上がり、夏には断水がたびたび起きるなど、市民生活に深刻な影響も出ている。

こうしたなか、海外にワインを輸出するメーカーは、資金を投じて大量の水の確保を進めている。地元で有数のワインセラーを取材すると、広大な青々としたブドウ園を維持するため、溜め池をつくって水の〝囲い込み〟を始めていた。干ばつに対応するため、水の使用量を少なくする工夫もしているが、溜め池はより重要だという。セラーマスター（醸造責任者）のハーゲン・ビルホエンさんによれば、これで4割を占める海外輸出を維持しているそうだ。

「われわれは、干ばつで生産が落ちたときにどうビジネスを維持するか、ということに最大限投資を行っています。自分の貯水池にある水は自分の水なのです」

一方、ケープタウンでは近年、「タウンシップ」と呼ばれるスラム街が拡大し続けている。周辺国ではサイクロンなどにより甚大な被害が出ているほか、隣国ジンバブエではインフレが激しくなって暴動まで起きており、人々が稼ぎを求めてケープタウンへやってくる。人々は市の所有地などに勝手に小屋を建てて住み始めるため、トタン屋根でできた小屋が密集して並んでいる。

このタウンシップでも、近年深刻な水不足が起きている。政府は、住人の権利を認め、水も無償で供給しているものの、1日にバケツ2杯までと制限されている。現在は感染拡大を防ぐために、この制限は一時撤廃されているが、いつ元に戻るかわからない状況だという。

アウグスティノ・ストエさんも、水道もない小屋で暮らしている一人だ。水は朝一番で水がめに貯め、大事に使っていて、シャワーはおろか、体をふくのでさえやっとだという。それでも、われわれが取材した隣国モザンビークからやってきて、トタン屋根のふき替え仕事をしているストエさんは「仕事はここにしかないから出ていくわけにはいかない」と窮状を語った。

現地の水を使いながら生産されたワインは、そうした背景は知らされずに世界各地の〝豊かな国〟に輸出されている。１本のワインを飲むたびに、南アフリカのスラム街のストエさんが２週間かけて使う水を消費したことになると理解している人は少ないだろう。

しかし、実態としては、われわれがワインを消費するとワインメーカーへとお金が流れ込み、水の〝囲い込み〟がますます進んでいく。ワインが世界中に輸出されても、ストエさんのようなスラム街に暮らす人々には何の利益ももたらさない。現地の格差は広がり、水は枯渇していくという皮肉な事態を生み出しているのだ。

そして、深刻な水不足は、各地で争いの種にもなり始めている。人による利用の増加で水量の確保が難しくなっているのだ。

いま、世界各地で、国際河川の上流側の国がダムを築き、下流側の国と争いになるケースが相次いでいる。アフリカ北東部を流れるナイル川では、上流側のエチオピアが巨大ダムを建設。下流側のエジプト南部では畑を放棄せざるをえない事態になっている。同様のダム建設は、アメリカとメキシコの国境を流れるコロラド川や、中国・カンボジア・タイなどを流れるメコン川でも行われていて、いずれも国際問題に発展している。

ウォーターフットプリントを分析しているオランダ・トゥベンテ大学のリック・ホヘボーン助教授（水管理）は次のように語っている。

「このまま世界中で経済発展が続けば、2030年には、さらに水を多用するようになり、現在の危機をもっと悪化させることになるでしょう。10年という時間は、あまりにも短い。これまで水資源の管理はローカルな問題として捉えられてきました。しかし、自由貿易の拡大で世界中の水の枯渇を心配しなければならないのです」

温暖化が生む食料システムのさらなる波乱

格差に基づいた水資源の枯渇と食料システムの脆弱性。それをさらに加速させると見られているのが、温暖化だ。

ただ、温暖化による食料への影響は複雑で、一概に温暖化したからすべての品種で減産するなどと結論付けることはできない。たとえば、小麦やトウモロコシは減産に転じるが、コメは増産するというように品種ごとに温暖化による気温上昇の効果は異なるからだ。また、地域によって雨が増えたり、減ったりするため、世界全体でどうなるか、と十把一からげにはできない。

しかし、それでも食料システムに与えるリスクは大きくなることが最新の研究で明らかになってきた。ＩＰＣＣ（気候変動に関する政府間パネル）は、気候変動と人間の土地利用の関係について知見をまとめた特別報告書を２０１９年８月、公表した。そして、気候変動によって生じる大雨、干ばつ、熱波による土壌劣化や森林火災等が影響し、食料生産がこれまでどおりではなくなると指摘したのだ。

「２０１５年時点で、陸地面積の約４分の３は居住地、牧草地、農地などとして利用されており、手つかずの自然として残っているのはわずか28パーセント（そのうち12パーセントは利用困難な荒野）である。（略）温暖化は、砂漠化（乾燥地の水不足）、土地の劣化（土壌侵食、植生の損失、山林火災、永久凍土の融解）や食料安全保障（熱帯の作物の収量と食料供給の不安定化）のプロセスに影響する。プロセスの変化は、食料システム、生計手段（略）といった人間社会のシステムへのリスクとなる。（略）気温上昇を１・５℃に抑えたとしても、食料供給が不安定になり世界の食料システムに問題が生じる可能性がある」

実際、温暖化の影響と見られる、水や食料に関連する自然現象は近年多発している。バッタの大発生による蝗害《こうがい》もその一つと見られている。

２０２０年はじめごろ、東アフリカ諸国からサバクトビバッタの大発生が始まった。１日で最大１３０～１５０キロ程度飛行できるため、インド北部、インドとパキスタンの国境付近、ネパールなどまで広がりを見せており、これほどの危機はソマリアとエチオピアでは25年ぶり、ケニアとウガンダでは、75年ぶりのことだという。

サバクトビバッタは平均気温38℃が最も発育速度が高く、早く成虫になる。大発生に至るメカニズムは複雑でまだ解明できない点もあるが、干ばつ、大雨などと密接に関係していることは知られており、今回も干ばつのあとにサイクロンの大雨が襲ったことが、大発生の環境を整えたとされている。温暖化に伴い干ばつや大雨といった「極端現象」が起こりやすくなり、生育の好環境が整いやすいのではないかと専門家は見ている。

サバクトビバッタは3か月ごとに新しい世代となってその度に約20倍に増殖するため、半年でその集団は400倍、1年以内に最初の16万倍の数になる可能性がある。一つの群れには1平方キロ当たり4000万〜8000万匹のバッタがいるとされ、仮に4000万匹とすれば、1日で約3万5000人が消費する食料を食べてしまうと推定されるため、FAOは被害地域で、4200万人が飢餓に陥ると警告したのだ。

さらに、南米ではミナミアメリカバッタの大発生が確認された。地域はアルゼンチン北部、パラグアイ、ウルグアイ、ブラジルの国境付近などで、今後の天候次第でさらなる発生、増加の可能性が伝えられている。

FAOは被害を防ぐために現地に専門家を派遣。現地政府とともに、農薬の空中散布など、拡大を防ぐ努力を続けていた。FAO緊急レジリエンスディレクターのドミニク・バージョンさんは次のように語った。

「われわれは2021年まで取り組みを継続しなければなりません。バッタの発生源とされるイエメンのような国では、スケールアップした対策を取る必要があります」

温暖化が起きることで、さまざまな気象災害を通じて、人々の水や食料の安定確保が難しくなっていく。すると、食料価格は不安定になり、食料システムはさらに不安定化するのだ。

飽食とグローバリゼーションが生む「生産地の不均衡」

本来、78億人すべてが食べられるだけの食料を生産できている、現在の地球。では、なぜ、10人に1人が飢餓に陥ってしまうのか。繰り返し述べているとおり、根底にあるのが、食料システムの脆弱性の問題だ。

かつて、食料は地域ごとに生産され、大半はそこで消費されてきた。ところが、第二次世界大戦後、輸出入量は拡大し、グローバル化によって世界は一つの食料システムの上に成り立つようになった。スーパーに行って、ウルグアイやタイ、モーリタニアなどが原産の食料が並んでいるのを見れば、そのことが実感できると思う。

「世界中から品物が届いて便利だ」と考える人もいるかもしれないが、実際にはわざわざ遠くから輸送コストをかけて運んでいるわけで、先のバーチャルウォーターでわかるように、膨大な地球資源の移動が行われているのが現状だ。

その結果、食料輸出国の産出高の推移や国内需要の変化など地球の遠くの現象が、世界中の食料に影響する時代となっている。

特に、穀物や肉などの主要食品になるほど、大規模化による寡占が進んでいく。トウモロコシ、小麦、肉などの輸出は、5か国程度がシェアを寡占している状況が生まれており、世界中の8割の食料は20か国ほどの国が担っているとすら言われている。

さらに、もともと食料は「保存が利かないため余らせられない」ことも、不安定な食料システム

シカゴ穀物価格の推移

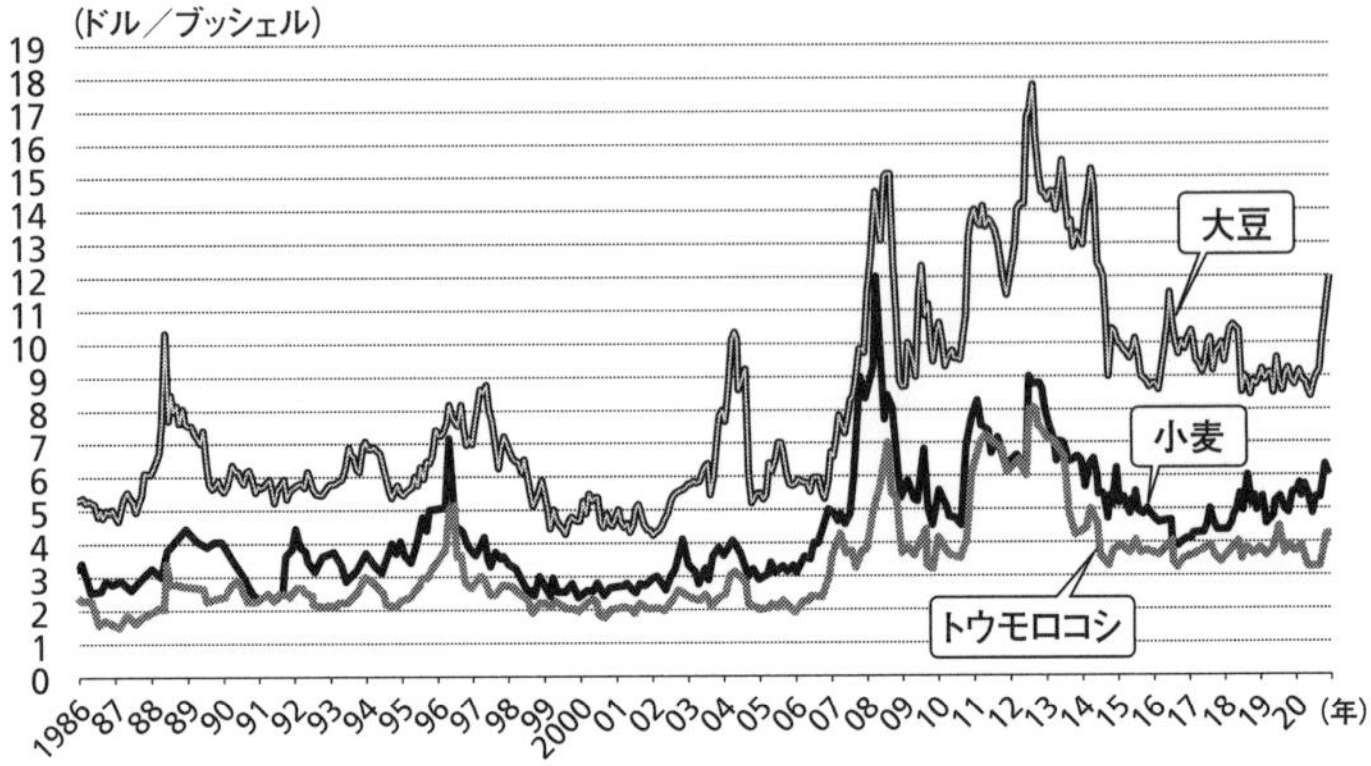

の要因の一つとなっている。

食料マーケットは「余らせない」ために、常に需要と供給を一致させる必要がある。需要と供給の差が小さい（余剰分が薄い）市場「シン・マーケット（Thin Market）」と呼ばれていて、価格変動を起こしやすい。余れば暴落、足りなければ暴騰が起きやすいのだ。その結果、特に2000年代後半から食料価格の乱高下は激しくなっている。

これに今回のパンデミックのような状況が加われば、食料価格は各地で容易に高騰してしまうのだ。

「緑の革命」の功罪

世界中を覆う食料システムをつくり上げたのは、1940〜60年にかけて起こった「緑の革命」だ。

緑の革命を主導した農学者、ノーマン・ボーローグ博士のドキュメンタリー映画がYouTubeで公開されている。これによれば、1914年アイオワ州クレスコに生まれたボーローグ博士は飢餓をなくすことを目標として取り組んだとしている。

「今後数十年、急増する人口の中で十分な食料を生産する希望がある」として、博士は農薬や化学肥料を大量に使用する農法を世界に押し広げた。その結果、各地で収量を飛躍的に増大させ、アジアやアフリカでも耕作地が急増。飢餓が減少に転じたのだ。こうして博士は農学者としてはじめて、1970年にノーベル平和賞を受賞した。

農薬と化学肥料を大量使用する農法は、経済的にも成功を重ねた。グローバル企業が資本を投じ、原材料となる農作物を農家から買い付けるだけでなく、貯蔵・輸送・加工を行い、販売するモデルをつくり上げた。

こうした企業は「穀物メジャー」と呼ばれる。特に、アメリカのアーチャー・ダニエルズ・ミッドランド、ブンゲ、カーギル、フランスのルイ・ドレフュスの4社は「4大穀物メジャー」と呼ばれ、頭文字を取って「ＡＢＣＤ」と呼ばれている。この4社だけで大豆、小麦、トウモロコシなど主要穀物の世界流通の約7割を握っている。

これらの企業と、いわゆる種子メーカー、化学肥料や農薬を生産する化学メーカーなどが一丸となって世界全体に種子を売り、農薬や肥料を売ることで世界の市場を押さえた。その結果、単一生産・単一品種のプランテーション型の農業が全世界に広がり、大量生産・大量消費を行う現在の食料システムが築き上げられた。

ところが、いま、緑の革命の弊害が世界各地で生じ始めている。最大の問題は地球上の農地不足、そして土地劣化だ。

生物多様性や生態系に関する国際的な科学者組織「生物多様性及び生態系サービスに関する政府間科学－政策プラットフォーム」、通称IPBESは2018年、「土地の劣化と回復に関する特別報告書」を公表した。世界の大半の土地で砂漠化、土壌劣化、森林伐採などの土地劣化が起こっているとして、次のように述べている。

「現在の人間の活動による陸地表面の劣化は、少なくとも32億人の人々の福利に悪影響を及ぼしており、（略）土地劣化による生態系サービス（生態系が人類にもたらす恩恵）の消失は、世界の多くの地域で深刻なレベルに達し、人間の創意工夫の対処能力を超える程の悪影響を引き起こすに至っている」

そして、土地劣化の主要な要因として、「在来植生地への耕作地や放牧地の拡大、持続不可能な農林業」が挙げられたのだ。

なぜ、緑の革命によって、世界中の土地劣化が起こっているのか。それは、単一品種生産のために行ってきたさまざまな施策が構造的に土地の劣化をもたらしているからだ。特にプランテーションと呼ばれる単一品種の大規模栽培が広がる途上国では、より大きな負担を強いられている。

われわれが取材したのは、近年、日本でも高級コーヒー豆の産地として知られるようになったアフリカ中部のウガンダ。2001年、世界の1割のシェアをもつドイツのコーヒー商社、ノイマン・カフェ・グルッペ社が、独自のロブスタコーヒーを生産する目的で投資をし、総面積2512ヘクタールにわたる広大な土地をコーヒー農園にして生産を行っている。

日本にも輸入されているこのコーヒーは、300グラム1500円程度の高値で取引されていて、企業では、「地元の環境に根ざした持続可能なコーヒー農園経営の先駆者として、地域全体の経済効果だけでなく、社会的・生態的なメリットにも貢献しています」としている。

ところが、自給してきた小規模農家が、このコーヒー農園開発によって自分たちの農地を奪われる事態が生まれている。

コーヒー農園をつくる際に、突然、立ち退きを求められ、抵抗した農民たちをウガンダ軍が銃で脅し、ブルドーザーで家を壊して追い出すというような暴力的な事態が相次いだのだ。支援団体によれば、その数は401世帯、2041人に上るとしている。コーヒー農園側は政府から99年間のリース契約で借りただけとして関与を否定しているが、追い出された住民はそのために軍が家を壊して追い出したと主張し、大きな裁判になったのだ。

われわれは家を奪われた人々を複数取材した。

その一人、ンガビレ・ベティさんは家を追い出される過程で父親を亡くした。突如、ブルドーザーがやってきて家を柱ごとなぎ倒して壊し、父親はその下敷きになったという。

ベティさんは追い出される前の家族の写真を見せながら、語った。

「この写真を見ると、亡くなった父親のことを思い出し、本当に気分が悪くなります。私たちは昔、何の不自由もなく暮らしていたのです」

実際、追い出される前の農家はほぼ自給自足できていた人たちばかりだった。しかし、土地を追い出され、荒れた土地に住まざるをえなくなった結果、食料を得る手段がなくなってしまった人やコーヒー農園で1日1ドル以下の賃金で働くことになった人が続出した。

ベティさんはわれわれを住んでいた場所へと案内してくれた。そこにはかつて家族で耕していたという畑の影はみじんもなく、一面にコーヒーが植わっていた。

追い出された人々の中には、付近の森林を伐採して新たな畑をつくった人も多い。プランテーションをつくることで自給できなくなる人々が増え、その結果、新たな農地を求めて、森林を伐採していく悪循環が生まれているのだ。

この悪循環はウガンダに限った問題ではなく、世界中で次々起こっている。

たとえば、食品やスナック菓子、化粧品や洗剤など身の回りのあらゆる商品に使われているパーム油の原料、アブラヤシもその一つだ。熱帯雨林を破壊しながら広大な農地にヤシが植えられ、世界中に輸出されている。そこでも自分の畑をなくし、自給できない人々の増加は大きな問題になっている。

実際、緑の革命以降のアフリカの食料自給率の変化を見ていくと、衝撃的な事実がわかってくる。貧困国では輸入が困難だからほとんど自給していると思う人もいるかもしれないが、そうではない。

確かに、1960年代にはアフリカの10か国程度がほぼ自給、もしくは完全自給できていた。しかし、緑の革命が始まって以降、自給できる国は激減。完全自給できる国はゼロとなり、自給率が5割を切る国が増え続けているのだ。

だからといって、土地の劣化が起こるから現在の農業のあり方を直ちに見直そうと言われても、経済効率の問題とも関連しているため、極めて解決が難しいという側面がある。単一品種生産の仕組みがなければ、先進国の暮らしはなり立たなくなるとさえ言われているからだ。

しかし、それでも先ほどのＩＰＢＥＳの報告書は、土地劣化を防ぐことが、２０３０年に達成を目標とするＳＤＧｓの実現に欠かせないと指摘し、もし達成できなければ、食料安全保障、ひいては国際社会の安定にも重大な影響が出るとしている。

「土地の生産性の低下は、特に乾燥区域の社会を社会経済的な不安定に対して脆弱にする。（略）劣化などの原因によって国内総生産（ＧＤＰ）が５パーセント低下するごとに、暴力的な紛争が勃発する可能性が12パーセント増加する関係が示されている。土地劣化と気候変動によって、２０５０年までに５０００万人から７億人の人々が移住を強いられる恐れがある」

「土地劣化を防止・削減・反転させるための適時の行動は、食料と水の安全保障を強化し、気候変動の適応と緩和に大いに寄与し、さらには紛争や移民を防止することにもつながる」

ここでも、現代の飽食を支えるため、その裏側で環境破壊が起こっていく構造が浮き彫りになっている。

深刻な農地の不足

では、こうした状況ははたしていつまで続けられるのだろうか。

実は、このまま放置すると、最悪の未来が待っていることがわかってきている。２０５０年には人口１００億を超える地球では、先進国や新興国で大量消費を維持したまま全世界の人口を養おうとすると、現在の５割の食料増産が必要になる。しかし、その需要を賄うために農地を拡大させると、深刻な温暖化が起きてしまう。いま、世界で排出される二酸化炭素のおよそ４分の１が食料システムから排出されていたため、二酸化炭素の排出量が急激に増えてしまうのだ。

しかも現在、既存の農地でも緑の革命の弊害として土壌劣化が進んでいる。大量の農薬や化学肥料の使用によって、土の中の微生物環境が破壊されているからだ。緑の革命では大型機械で土地を深く耕すが、そのことも土中の環境が破壊されることにつながっている。

土壌劣化が進むと、土の栄養が失われ、砂漠化しやすくなる。さらに、土中に二酸化炭素を保全する効果も薄くなってしまい、放出される二酸化炭素が増えることになる。

実際、農薬を大量に使った土地では、土の表面を覆う草が生えなくなり、風や水に土が飛ばされる「風化」や「侵食」という現象が頻発する。通常、豊かな土壌では、地表から数十センチのところに細菌や微生物が繁殖し、植物を育てるのに役立っていて、そこに空気中の二酸化炭素が蓄えられる。しかし、農薬などで微生物が殺されてしまい、土壌が削られると、再生は困難になり、好循環が断ち切られてしまうのだ。

実際、土壌の劣化を比較した「Rainfall simulator: soil health and rain events」と題したアメリカ・デラウェア大学の実験動画がＹｏｕＴｕｂｅで公開されている。土を入れた五つの箱にさまざまな状態の草を生やして、上から雨のようにシャワーで水をかけたとき、どのくらい土が流出するかを比較する実験だ。すると、草を生やしていない箱からは、水とともに、大量の赤い土が下のガラス瓶に流れ出てしまい、水は赤く濁るが、草を生やした箱では、水がわずかに色がつく程度で収まっていることがはっきりとわかるのだ。

いま、アメリカの穀倉地帯でもこのリスクが顕《あら》わになっている。アイオワ州では、２０２０年、大規模な干ばつが発生、トウモロコシや大豆が大規模に枯れる事態になった。ここでは、長年の化学肥料や農薬の使用によって、乾燥すると簡単に崩れる水気のない土壌に変わってしまっていた。大半の大豆が茶色く変質してしまったという農家は、その畑の土をつかみ取り、ぽろぽろと崩れてしまう様子を見せてくれた。

「これは砂のような土壌です。より速く水を使い果たしてしまいます。雨が降らなくなったとき、すぐ土から水を使い果たしたのがわかりました」

ＩＰＢＥＳで土地劣化に関する報告書をまとめた南アフリカ・ウィットウァーターズランド大学のボブ・スコールス教授（土壌劣化）は、次のように語った。

「かつては、ある場所がダメになっても、別の場所で農業を始めればよかったのです。でも、この世界に新たな土地はもうありません。肥沃《ひよく》な自然の土壌は、目には見えない多くの微生物が支えています。既存の土壌を失わないように細心の注意を払わなければなりません。土壌の劣化をどう防ぐかがカギを握ります。土壌は、一度劣化してしまうと、修復するのは信じられないほど難しいからです」

さまざまな原因で飢餓に陥る

飽食による肉や嗜好品の需要拡大のもとにある、膨大な格差。緑の革命による単一品種のプランテーションによって成り立つ、現在の食料システム。

これに２０５０年に向けて１００億を迎える人口による需要の増加、温暖化や水の枯渇による食料生産への影響、農地不足と土地の劣化、そしてすぐに乱高下する脆弱な食料マーケット……こうした不安定要因が合わさるとどういった未来が待っているのだろうか。

この分野で長く分析を続けてきた世界銀行のマーティン・エバークープさんは、すでに現在の食料システムは問題が噴出しており、変えるべきときだという。

「世界の食料システムには隠れたコストがたくさんあるのです。その一つひとつに値段を付けて本当の経済的コストを試算すると、年間約12兆ドルにもなると見積もられています。われわれの結論は、世界の食料システムはすでに本来の目的に合っていないということです」

実際、パンデミック以前にも、世界のあらゆる地域で30億人が、食料価格の高騰によって健康的な食生活を送れないでいたと、ＷＦＰは指摘している。それに追い打ちをかけたのが、新型コロナウイルスだったという。

「インフレに加え、新型コロナウイルスによる雇用の喪失や根強い所得格差が、食料不安と栄養不良を悪化させています。ＷＦＰが活動している9か国において、過去３か月間に基本的な食料バスケット（穀物など）のコストが10パーセント以上上昇しました」

世界銀行の分析では、今回のパンデミックによる波乱で、通貨下落により食料をはじめ生活必需品の輸入コストが高まったため、輸入に依存する国々は一層厳しい状況に直面しているという。移動制限による食料取引の中断、生鮮市場の閉鎖、労働者確保の難航などの要因から、食料価格の高騰が全体的な物価上昇よりもはるかに急激に進んでしまったというのだ。

格差を前提とした単一品種の生産システムのもと、ある日突然、人々は飢餓に陥るのである。

レバノンを襲ったフードショック

いま、大規模な飢餓が起きる仕組みとして、「フードショック」と呼ばれる概念が重要視され始めている。フードショックはひとたび襲われると、国家や地域、時には全世界の多くの人が食料難に巻き込まれる現象として知られている。

いま、このフードショックが急激に進行している国がある。

かつて「中東のパリ」と呼ばれた首都ベイルートを擁するレバノンだ。ベイルートは１９７０年代まで金融都市として栄えていたが、80年代の内戦で荒廃し、イスラエルの軍事侵攻も招いた。その後内戦終結とともに、金融や海外投資家の呼び込みなどに成功して復興を遂げた。食料自給率は日本とほぼ同じ40パーセント程度とされ、人々は、輸入に支えられて豊かな食生活を享受してきた。

しかし、２０１９年、国家財政の悪化が急激に進み、激しいインフレに襲われたことで、人々の暮らしは暗転した。もともと国内の富裕層による投資などで国家財政を賄っていたレバノンだったが、富裕層の国外流出が相次ぎ、過度な補助金制度などの経済政策により財政が行き詰まった結果、２０２０年3月に債務不履行（デフォルト）を宣言したのである。当局の発表ではインフレ率は85パーセント。その影響から、レバノンは、食料も燃料もまともに輸入できなくなっていた。

そこに起きたのが、死者２００人以上、負傷者６５００人以上を出したベイルート港の大規模爆発事故だ。港に保管されていた硝酸アンモニウムが起因ともされるが、真相究明にはいまも至っていない。爆発が起きたのは富裕層の住んでいたエリアだったため、彼らが街から出たことで、その富裕層相手に仕事をしていた人々も職を失ってしまった。さらに至近距離にあった国の穀物備蓄庫も失われ、食料価格の高騰にも歯止めがかからなくなったのだ。

いまレバノンでは、これまで困窮したことのない一般家庭まで、瀬戸際に追い込まれている。ある国家公務員の家庭を取材したわれわれは、その現実を目の当たりにすることになった。

取材したのは、ベイルート市内に暮らすタウクさん一家。3人の幼い子どもを抱え、夫のハンナさんの給料で生活してきた。以前は、海外旅行にも出かけ、週に何度も外食を楽しむという中流以上の生活を送っていたという。

しかし、いま、外食に行くことはない。燃料や食料品の値上がりが家計を圧迫し生活に一切余裕がなくなったからだ。食事に出せるのは穀物と野菜だけ。1年以上ものあいだ、食卓から肉や魚の料理が消えているという。

妻のカルラさんは、育ち盛りの子どもに十分食べさせられないことを嘆いていた。

「子どものミルクも買えなくなり、子どもに『もう食べないで』と言わなければいけないとは思ってもみませんでした。子どもたちは、もっと食べてもいいかと尋ねてくるようになってしまいました」

実際どのくらいの高騰なのか、われわれはカルラさんの買い物に同行した。レバノンのスーパーマーケットは、いまも大量の食品で溢れていた。肉に魚、チーズ、スパゲッティ、油、あらゆるものがそろっている。昔と違うのは値段だけだ。

輸入食品は世界共通の値段で売買されているため、貨幣価値が落ちると値上がりする。カルラさんによれば、ほとんどの食品が以前の3倍の値段になったという。

カルラさんは、大きな得用の油1本さえ買うことができないとわれわれに語った。その油を買うことで、その月の生活費の上限をオーバーし、砂糖や野菜など本当に必要なものが買えなくなるからだ。レバノンのフードショックは、食料そのものの不足が原因ではない。目の前にあっても手に入らないのだ。

買い物から帰ると、テレビでは、食料の助成金打ち切りへの怒りを伝えるニュースが流れている。夫のハンナさんは「われわれはどこに向かっているのかわからない。神の助けが必要だ」と嘆いた。どうしようもない絶望がそこにあった。

深刻なのは、フードショックが本来食料を生産しているはずの地方にも波及していることだった。

ハンナさんは、時折ガソリン代をかけてでも北部のアイナータ村にある故郷に戻っていた。少しでも安く多くの食料を手に入れるためだという。しかし、そこでも食料の奪い合いになっていた。ハンナさんは、ようやく手に入れた一箱の卵を見せながら語ってくれた。

「国では卵の危機が起こっています。見つけるのに4日も費やしました。店に入ると、人々が卵を奪い合って争い、60箱が一瞬で売り切れました。私は『一箱でいいから』とお願いして手に入れたのです」

家畜の飼料のほとんどを海外に頼ってきたレバノンでは、飼料さえ買えなくなっていた。その結果、全国的に肉や卵、牛乳が手に入らなくなっていたのだ。

ハンナさんは「まるで私たち全員が沈没船に乗っているかのように、国が崩壊していく感じです」とぽつりとつぶやいた。

結局、タウクさん夫妻は食料支援団体を探すことにした。カルラさんは何件も断られながら、ようやく見つけた食料支援の列に並んだ。油やパンなど一とおりのものがそろった箱を受けとったあと、涙ながらに語った。

「支援を受けるのははじめてです。こんなことになるなんて……本当に生まれてはじめてです。内戦を経験した私の親でさえも人に助けを求めたことはなかったのに」

国民の半数以上がタウクさん夫妻と同じ状況に陥ったレバノンでは、いま、全土で毎週のように食料を求めるデモや暴動が頻発している。デモ参加者の男性が叫ぶ。

「この子にミルクさえ買ってやれないんだぞ。そんな国がどこにある」

人々は議会の建物など政府の建物に火炎瓶や石を投げ入れ、銀行や商店の焼き討ちなども多発。軍が催涙ガスを使って鎮圧を図るなど、社会不安が極限に達しようとしていた。

世界中どこでも起こりうるフードショック。国連によって実施された新たな調査によると、今回のパンデミック後、世界最大の飢餓はコンゴ民主共和国で発生したものとしている。国連は2018年に1300万人だった飢餓人口が2020年には2700万人に増加し、3人に1人が深刻な飢餓を経験していると発表した。FAOとWFPの分析によると、700万人が生存がぎりぎりの状況だという。

内戦が続くこの国の自給率は低く、耕作可能な農地が8000万ヘクタール以上あるのに、その8分の1しか耕作されていない。食料需要のほとんどは支援と輸入に依存していた。それに追い打ちをかけるように、パンデミックで食料価格が高騰、フードショックが襲ったのだ。

WFPのチーフアナリストは、フードショックはさまざまな要因で発生すると指摘している。

「（フードショックの）理由には経済的疎外があります。通貨の下落、負債の増加、インフレの上昇などです。一つの原因では起きません。多くのことが重なり合って、危機が発生するのです」

複数の穀倉地帯が同時に崩壊したら――最悪のシミュレーション

このまま課題を放置した場合、将来、世界はどのようなダメージを受けるのか。その影響は先進国にまで及ぶと言われている。

2015年、大手銀行ロイズのシンクタンクがイギリスのアングリア・ラスキン大学のアレッド・ジョーンズ教授（環境経済学）と試算したフードショックに関する報告書は、衝撃的な未来を暗示している。

そこでは、世界規模の気候変動が今後の農作物生産に深刻な打撃を与えることが予測されていた。そして食料不足が引き金となって各国の政情は不安定化し、その影響はビジネスや交通機関にも及んでいく。その結果、文明社会に深刻なダメージを与えかねないというのだ。

報告書によれば、このままの食生活では、人口100億人になる2050年に向けて5割食料を増産する必要が出てくるが、そこに温暖化による気象災害や水不足が起こると、人口増大も相まって需要は急拡大し、穀物価格の上昇を招く。そして、数か国の穀倉地帯が同時に不作に陥れば、一気に食料不安が世界に広がり、輸出停止が各国に連鎖すると結論付けている。ジョーンズ教授は、こうした大規模なフードショックは、全世界の1割程度の食料が失われただけで起こると見ている。

さらに輸出停止の連鎖が起こると、食料問題を超えた危機の拡大が起きるとも報告書は指摘している。ジョーンズ教授は、過去に発生した暴動と食料不安との関連を数式化し、輸出停止が連鎖したときに、暴動が起きる確率を算出した。すると、中東やアフリカなどでは10パーセント以上、日本も数パーセントの可能性があることが判明したのだ。暴動のリスクは政情不安を招き、隣国にも波及する。それが国際ビジネスを低迷させ、海や空の交通機関にも深刻な影響を及ぼすという。

レバノンに限らず、食料暴動はあらゆるところで起きている。穀物価格上昇の結果、食料の入手が困難になった中東や北アフリカ、ラテンアメリカの一部の国では都市部での暴動が珍しいものではなくなってきている。

他にも今回のパンデミック後に全世界で大量に紛争や暴動、暴力的な抗議デモが起きているが、その多くは食料供給が不安定と伝えられた箇所に特に集中していることが「武力紛争地域・イベントデータプロジェクト」、通称「ACLED」のホームページを見ると理解できる。全世界の紛争や暴動などのデータをリアルタイムに集計して表示するもので、明らかに暴力と食料の因果関係が深いことを示唆している。

歴史的にもフードショックは、たびたび起こっている。2010年から政権を打倒するための内

世界のデモ・暴動・紛争マップ

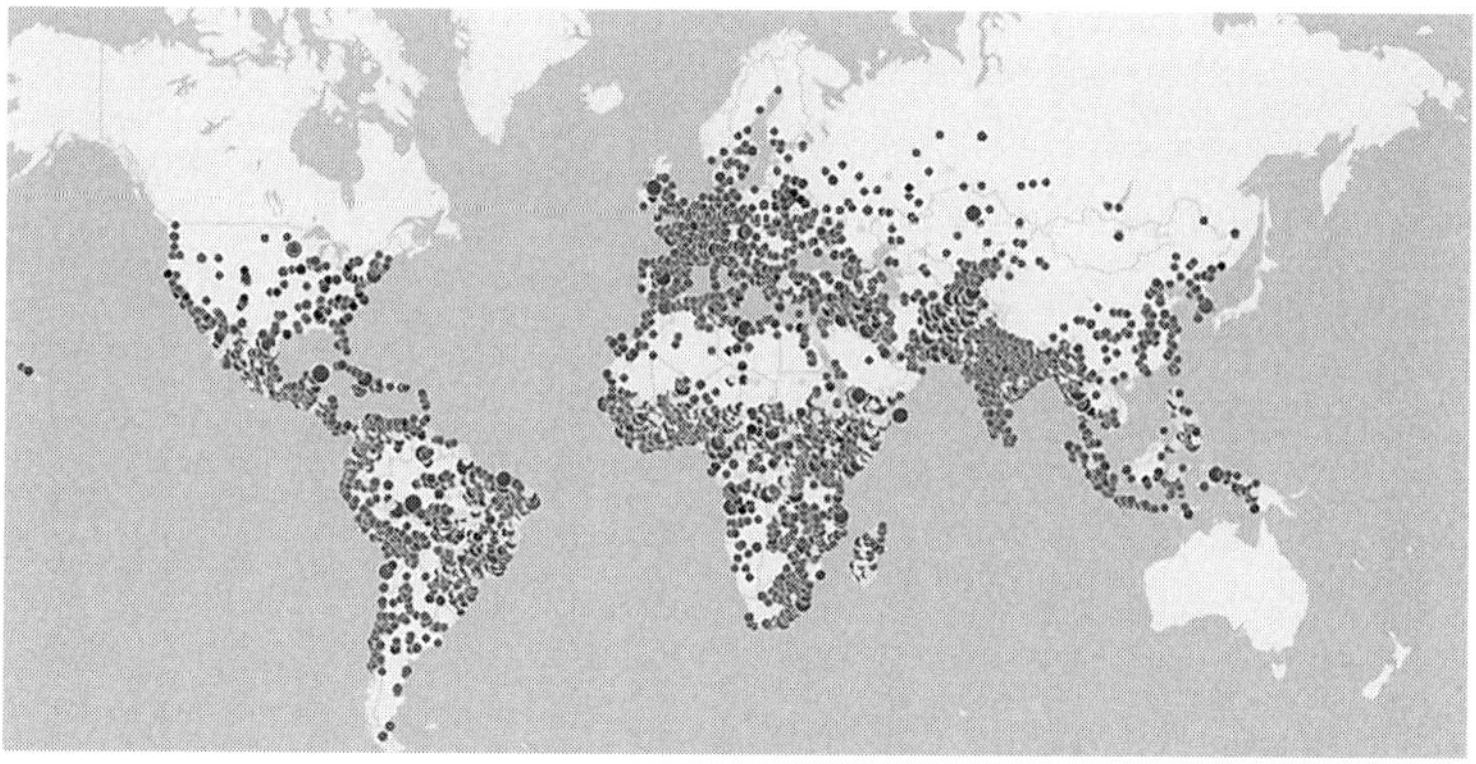

（「The Armed Conflict Location & Event Data Project」より転載）

戦やクーデターが勃発したアラブの春もその一つとされ、きっかけはロシアで起こった小麦の不作とされている。

世界銀行の分析によれば、サハラ砂漠以南のアフリカでは、異常気象が国民一人当たりの食料生産高に影響を及ぼす頻度が１９８２〜２００６年の12・５年に一度しかなかったのに、２００７〜２０１６年のあいだには２・５年に一度へと急激に増加しているとされている。そのうえで、天候による悪影響から食料生産の長期的拡大がますます困難になりつつあり、２０１０年以降、暴力的な紛争が急増していると指摘。しかもそれがさらに食料事情を悪化させているという。つまり、食料不安が紛争を招き、その紛争がさらに食料不安を招くという悪循環が起きているのだ。

ジョーンズ教授は、いったん世界規模のフードショックが起これば、世界各地で暴動が起き、食料生産をますます不安定化させ、危機は最悪の場合、数年に及ぶと指摘している。

「食料価格の高騰は、抗議行動や暴動につながり、近隣諸国を巻き込んだ崩壊へとつながっていきます。気候変動の影響が大きくなるにつれ、そのショックはさらに大きくなります。2050年までには、世界的なフードショックが起こる可能性が高いのです。脆弱なシステムの中で、世界の食料の10パーセントから15パーセント失われるだけで、現在よりもはるかに大きな社会的混乱を引き起こすのです」

Lラインの崩壊――〝文明崩壊〟の足音

「格差」を前提にした資源の浪費が、〝文明崩壊〟につながりかねないと指摘する研究も現れている。アメリカ・メリーランド大学で応用数学・理論環境学を研究するサファ・モーテ博士。文明のシミュレーションモデルを提唱し、NASAと共同研究を行った研究者だ。

開発したのは気象や地下水などの地球環境の要因と、人口や経済など人間活動の要因を統合したシミュレーション。「統合モデル」と呼ばれる研究分野で、無視できなくなった人間活動による地球環境への影響を正確に試算し、政策を検討するために世界各国で活発に研究が進められている。

モーテ博士のシミュレーションでは、社会が崩壊するのか、持続するのかを判断するために、資源利用の格差に着目した。すると、この格差こそ、社会の安定性を決める重要なファクターになることがわかったという。

博士はこのシミュレーションをさまざまなタイプの社会を想定して何百万回も行い、その行方を

サファ・モーテ博士のシミュレーション

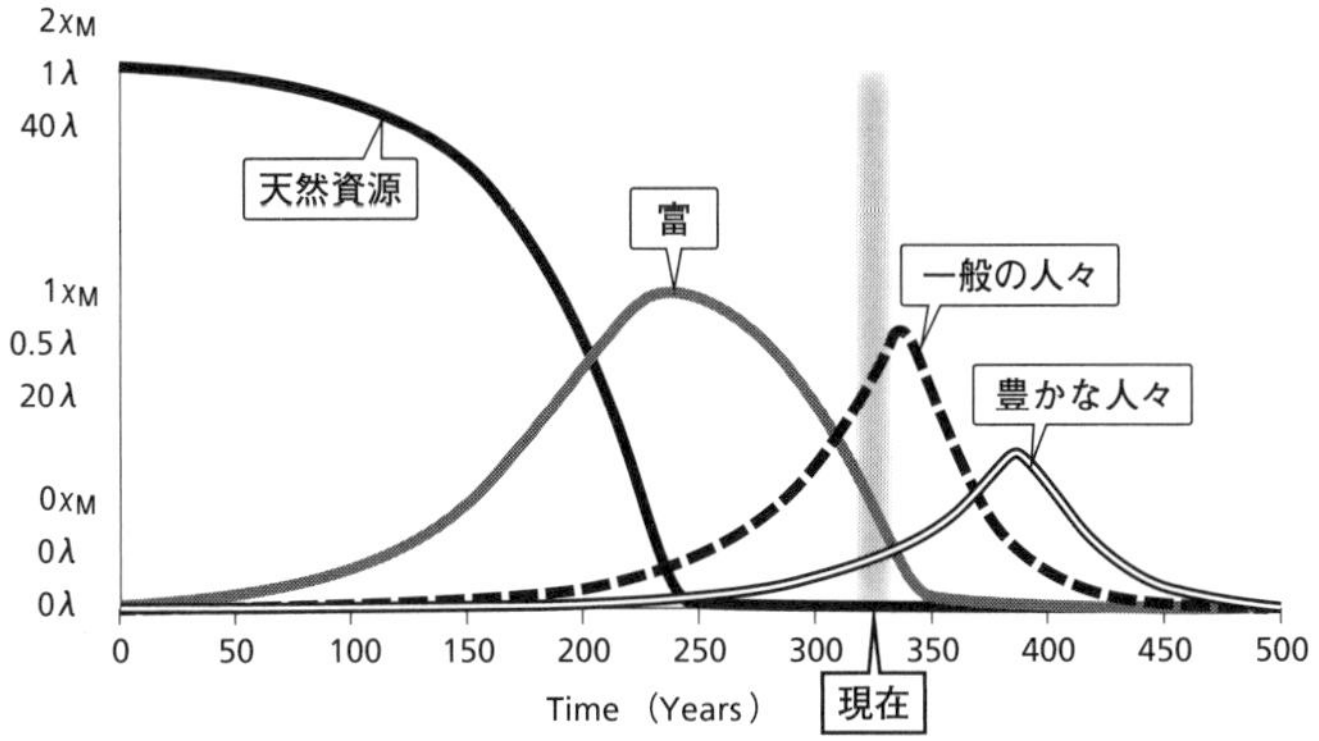

出典：Unequal Society: Irreversible, Type-N (Full) Collapse "Human and Nature Dynamics (HANDY): Modeling Inequality and Use of Resources in the Collapse or Sustainability of Societies,"

予測した。結果は衝撃的なものだった。食料などの資源の偏りを放置し続けた社会は、ほぼ確実に崩壊したのだ。博士によれば、「格差が大きな社会が持続する確率はほぼゼロに等しい」という。

　重要なのが、豊かな人々(富裕層や先進国の国民など)の危機への無関心だ。豊かな人々の気づきが遅れる現象がシミュレーションでは度々確認され、それが、地球規模の破滅につながっていったという。

　格差が存在すると、一般の人々の人口がまず増加するが、富は豊かな人々が独占するという構図が生まれる。しかし豊かな人々に集中した富は資源回復のためではなく、自らの富をさらに拡大し、独占するための技術開発などに使われていくのだ。これが資源の枯渇を加速させてしまう。

　しかも枯渇に最初に直面するのは、豊かな人々ではなく、一般の人々だ。その結果、食料不足などによる人口減少は常に一般の人々から始まる。しかし、豊かな人々は最後まで自分の周りに富を集めるため、実際の枯渇に直面しない。その結果、豊かな人々は最終段階に至るまでこの危機に気づけず、突然、社会全体の機能が崩壊してしまうのだ。

この現象は労働者層（Labor）が最初に崩れていくこと、さらに「L」という字のかたちのように下の大多数の上に、豊かな人々が乗っかっていて、最後に崩れるという現象から「Lラインの崩壊」と名付けられた。博士は、この現象をメソポタミア文明、マヤ文明など過去の滅びた文明についてもシミュレーションしたが、どれもこの現象が当てはまったという。近年では、シリア内戦による悲劇にも、このメカニズムが当てはまると博士は分析している。

シリアでは、地中海に近い西部とユーフラテス沿岸に農業地帯があり、急激な人口増加がなければ食物を自給できていた。しかし１９６０年代以降、人口増加のたびに新たに農地を増やし続けた。シリアは多くがステップ気候（半乾燥気候）の土地だったが、井戸を掘り水をくみ上げて農地にしていった。ところが、地下水の層が薄かったため、地下水は枯れてしまい、２０００年代後半に全体的に破綻《はたん》したのだ。特に数百年に一度と呼ばれた、２００６年からの干ばつは、こうした農地を完全に砂漠に変えてしまった。農民は破産し、80万人が生活手段を失って、都会へ移住し難民となった。餓死しそうになる人々が続出する一方、富裕層は資源の浪費を続けた。それによって、社会が不安定化したことが内戦の要因となったと博士は見ている。

現代文明は、今後どういう運命をたどるのだろうか。

博士に問いかけると、こんな答えが返ってきた。

「シミュレーションでは、いまの社会がどこに向かうか、まだ決定できません。政策が変わると大きく運命も変わるからです。文明はどれだけのエネルギーや富を地球からくみ出せるかで限界が決まりますが、そういう意味でこの文明の資源がいつ枯渇するかは読みにくい状況です。崖の上にいる人は崖の先がどうなっているか読みにくいものです。ただ危機は確実に存在し、近づいていると思います」

「だからこそ、私たちの生活、人類の運命、そして地球の運命は、資源の偏り、つまり格差を理解し、コントロールすることにかかっています。それは、地球の資源を使い尽くしてしまうかどうかを決める重要な問題なのです」

飽食と飢餓、想像を絶するような格差が全体を覆い尽くした私たちの社会。その中でさまざまな歪《ゆが》みを抱えながら築き上げられた食料システムは、本当に持続可能なのか。そして、〝文明崩壊〟を私たちは回避することが本当にできるのか。

食料システムのもっている課題は、私たち一人ひとりが、何を食べ、どう行動するかだけでなく、どのような幸せを求めるのか、価値観そのものを厳しく問い質している。

デイビッド・ビーズリー

食料を “平和のための武器”に

David M. Beasley

1957年、アメリカ・サウスカロライナ州生まれ。WFP(国連世界食糧計画)事務局長。1979年、21歳のときにサウスカロライナ州選出の下院議員に当選し1995年まで務めたあと、サウスカロライナ州知事に就任(1期)。ハーバード大学ケネディ行政大学院フェローなどを経て、2017年から現職。2020年、ビーズリー氏が率いるWFPは、飢餓との闘いに尽力してきたことなどを理由に、ノーベル平和賞を受賞した。

ＷＦＰ（国連世界食糧計画）の事務局長、デイビッド・ビーズリー氏は、アメリカ下院議員や州知事を歴任するなど、豊富な政治キャリアの持ち主だ。「アメリカ・ファースト」を掲げたトランプ政権が国連への拠出金を削減するなか、人道援助と安全保障の関連を説き、アメリカ政府にＷＦＰへの拠出金を増額させた政治手腕は高く評価されている。

「飢餓と貧困をなくす」ことを使命とするＷＦＰは、国連の中でも最大の人道支援機関として世界各地で最前線に立ち、毎年約80か国で1億1550万人以上の人々に食料を届けてきた。ビーズリー氏の指揮のもとで、ＷＦＰは災害や紛争時の緊急食料支援だけでなく、被援助国の平和と安定に寄与する長期的な発展に注力している。その真価はコロナ・パンデミックの混乱で食料危機が増大する時期にも発揮され、2020年のノーベル平和賞受賞にもつながった。

世界人口の10人に1人に当たる最大8億1100万人が飢餓に苦しんでいると推計される。世界全体には富も食料も十分あるにもかかわらず、富裕国と低所得国とのあいだに横たわる不公平や、非効率的な仕組みが飢餓解消の壁となっているのが現状だ。

国谷裕子さんの問いかけに対し、ビーズリー氏はもどかしさをにじませながら、「ＷＦＰには問題解決のための知識や人材はそろっている。残るは飢餓をなくそうという世界の人々の強い意欲だけだ」と答えた。

ビーズリー氏は「飢餓はなくせる。そのためにまず行うべきは、戦争をなくすことだ」と訴える。自らイエメンやシリア、ソマリア、ナイジェリアなどの紛争地帯に精力的に足を運び、現地の状況を知る彼ならではのメッセージだろう。

このままでは大規模な飢餓が発生する

――コロナ・パンデミックはWFPが直面する課題をさらに深刻なものにしているのではないでしょうか。現状をどう評価していますか。

ビーズリー　現況は、総じて非常に深刻です。

２０１９年末、主に人為的紛争によって、飢餓寸前状態に陥っている人々の数は1億３５００万人にまで増加していましたが、そこにパンデミックが重なり、その数は2億７０００万人になっています。この数字が意味するのは、もともと存在したシステムの脆弱さに拍車がかかっているということです。

ちなみに、「飢餓寸前状態」とは、空腹のままベッドに入ることではありません。次にいつ食事ができるかわからない状況に置かれている、ということです。この問題に早急に取り組まなければ、今後、桁《けた》外れの飢餓が世界中で起こることになるでしょう。

――「システムの脆弱さ」とは、具体的にはどういうことでしょうか。

ビーズリー　日本やアメリカ、ヨーロッパ諸国のような先進国でも、パンデミックでパニックによる買いだめが起こり、特定の野菜やトイレットペーパーが手に入らなくなりました。そうしたことが、世界でも洗練されたサプライチェーン・システムをもつ国で起きたのです。想像してください。イエメンやブルキナファソ、ニジェールのような内戦や貧困に苦しむ国のことを。それらの国々ではさらに悲惨な状況になっています。

私たちの食料システムは非常に脆弱で、ひとたびなんらかのショックを受けサプライチェーンが混乱すると、中低所得国の中でも特に貧しい国に住む最も貧しい人々が犠牲になります。いちばん支援を必要とする人々に食料を届けることが困難になるのです。

問題はサプライチェーンだけではありません。食べ物を買うお金が手に入るかどうかなど、さまざまな要因が組み合わさって生じています。たとえば、先進国で働く移民たちの多くは、母国で暮らす家族に送金していますが、パンデミックによる不況で失業し、そうした送金は完全にストップしてしまいました。

また、食料を巡っては、世界の国々のあいだで格差が存在します。日本やアメリカでは、台所の棚に2、3週間分の食料品が備蓄されている家庭もあるでしょう。しかし、貧しい国々の人々は毎日が文字どおり、その日暮らしです。ロックダウンは、最も貧しい人々にとって大きな打撃となり、彼ら・彼女らはその日食べるものも手に入らなくなります。ですから、特に中低所得国でロックダウンを行う際には、人々が食料に困らないよう、セーフティネットが整備されていることを確認しなければなりません。でなければ、飢饉《ききん》、飢餓、騒乱、大規模な難民が発生することになります。

サプライチェーンの混乱にどう対応するか

――FAO（国連食糧農業機関）によると、パンデミックで、小麦、コメ、大豆、トウモロコシなどの主食穀物の生産国約20か国が、自国の食料安全保障が確保できなくなるという理由で2021年6月末まで輸出制限を決定し、食料システムをさらに混乱させました。このような事態を正さなくてはなりません。[★1]

ビーズリー　2020年4月、私は国連安全保障理事会で講演し、「サプライチェーンへの波及効果を正しく評価せずに、新型コロナウイルス感染症だけを考えて決定を下すことには、極めて慎重であるべきだ。自国民を守りたいために国が輸出禁止を決定するときには、地域や世界への波及効果の全体像を見なければならない」と述べました。

しかし実際には、パンデミックによって、多くのパニックが起こっています。また、自国民によかれと信じて、貿易に関する禁止令を課す国も多くあります。WFPはそうした国に対して、「それをすれば、サプライチェーンが混乱し、自国の人々に必要な食料供給ができなくなり、農家も肥料や種子、家畜の餌が入手できなくなる」と、呼びかけています。

もし港の閉鎖が決定されるタイミングが、その地域全体に供給する食料を積んだ船の入港と重なったら、破滅的な事態を招きます。ですから、食料や物資を円滑に輸送するために、システムが引き続き機能することをしっかりと確認していかなければなりません。

食料システムはグローバルにつながっています。必ずしも現行システムのすべてが機能しなくなっているわけではないと思いますが、世界が連携し、全体像を注視しながら改善に取り組んでいくことが必要です。

――世界はグローバリゼーションのもとで、生産性や産出高を増大させ、効率的な食料供給の仕組みを構築してきました。しかし、ここ４、５年、慢性的あるいは急性的に飢える人々が増加していることを考えると、現在のシステムには問題があると考えざるをえません。私たちが必要としているのは、食料を自給できる国や人々を増やすことではないでしょうか。食料システムに混乱が起きても耐えることができるよう、輸入への依存を減らすのです。

ビーズリー　食料生産に適さない地形をもった国々が世界中に存在しています。しかし、概して言えば、それぞれの国の人々を養えるだけの食料を得られるシステムを世界中の国々に構築していくことはできると思います。ただ、自由貿易により食料が常に世界中に供給されることも望ましいことです。国と国のあいだに壁はつくりたくありませんし、輸出入に縛りをかけたくない。

しかし、それはすべてがうまくいっているときの話です。もし新型コロナウイルス感染症の死亡率がエボラ出血熱並に高いものだったとしたら、どれほど壊滅的な状況になったかは想像を絶します。パンデミックでサプライチェーンが混乱しましたが、今後そうした事態にふたたび陥ったときのために、地域の人々への影響を最小限に抑えるようなシステムが、国際的にも、また国ごとにも構築されることが必要です。食料備蓄システムがあれば、短い期間、数か月、たとえば６か月間のシステムへの衝撃があっても、自国民を食べさせていくことはできるでしょう。

――もう一つ懸念されることは、同じ土地で同じ作物が大量に生産されて、土壌が劣化したり、水不足が加速したりすると科学者たちが警告していることです。

ビーズリー　今後、人口増加の影響によって農地に使える土地はますます限られることになりますから、いま以上に効率的かつ有効に収穫高を増やさなければなりません。土壌劣化や害虫の蔓延《まんえん》を防ぐ農法の実施や、種子や肥料をより良質なものへと変えるなど、さまざまな選択肢を検討し、農業システムを改善していくことが必要です。また、水耕農業や都市農業など、検討すべきことは山ほどあります。

――FAOは、「飢餓ゼロ」を実現するためには、自給自足し、地域に食料を供給する小規模・家族農業が重要な存在だとしています。小規模農家への支援は、食料安全保障システムを強化するカギになるのではありませんか。

ビーズリー　慈善だけで飢えを終わらせることはできませんし、大企業だけで飢えを終わらせることもできません。

小規模農家の農地のほとんどはＷＦＰが簡単には行けない場所にあるので、彼らが独り立ちできるよう必要な農機具などを提供し、外部からの支援が必要なくなるようにしなければなりません。それがＷＦＰの目標です。つまり、魚を与えるのではなく、魚の釣り方を教えるのです。小規模農家がもっと力をつければ、大きな変化を起こすことができるでしょう。私がＷＦＰに参加したときの目標である、「ＷＦＰを廃業させる」ことが実現できるかもしれません。

★1　外務省は２０２０年8月に発表した「日本と世界の食料安全保障」において、食料安全保障を次のように定めている。「全ての人が、いかなる時にも、活動的で健康的な生活に必要な食生活上のニーズと嗜好を満たすために、十分で安全かつ栄養ある食料を、物理的、社会的及び経済的にも入手可能であるときに達成される状況」。

食を巡る格差と不公正

――食料輸入依存率85パーセントのレバノンでは、パンデミック下に突如物価の高騰が起こり、結果として家族を養えなくなった人々が存在します。この脆弱性は、彼らが輸入に依存していたために起きた構造的な問題なのではないでしょうか。

ビーズリー　脆弱さはさまざまな要因の組み合わせによるもので、ある意味では確かに構造全体の問題と言えますが、実際にはそれぞれの国に固有の状況があります。

たとえば、イエメンは食料の大半を国外からの供給に頼っていますが、これは地形などの条件が厳しく、自国民を養うのに十分な作物を国内で生産することができないからです。また、レバノンは、狭い国土に暮らす数百万の国民に加えて100万を超える難民を抱えています。隣国シリアの最大の難民受け入れ国なのです。その数は2011年に始まり、すでに10年目となったシリア内戦の長期化でさらに増えつつあり、加えて、2020年8月に首都ベイルートの港で発生した大爆発事故の甚大な被害の影響もあります。そのため、以前から経済的苦境にあったレバノンの食料安全体制は一層悪化しています。こうした状況は、近隣諸国でも同様です。

こうした国々でWFPが目指しているのは、現在入手できる資源を基に均衡を保ちつつ、地元経済を活性化し、小規模農家を活気づけるための最善策を考えることです。食料搬入や資本投下などがその一例ですが、WFPが必要かつ適切な支援を提供しなければ、すぐにでも大惨事が起きるでしょう。

――中低所得国は食料を輸入にますます依存するようになっています。グローバルな食料システムが混乱したとき、こうした国々は非常に不安定な状況に置かれるのではないかと懸念します。食料輸出国と食料輸入国のあいだに横たわる分断や格差はますます大きくなっており、こうした構造が「システムの脆弱性」を拡大させているのではないでしょうか。

ビーズリー　格差について言えば、現在、世界では地球上のすべての人を食べさせるのに十分な食料が生産されています。にもかかわらず現実はそうはなっていない理由の一つは、食料廃棄です。発展途上国では、農場から市場へ運ばれるまでに3分の1が捨てられ、先進国では食卓で3分の1が捨てられる。その総量は約13億トン、価値に換算すれば1兆ドルに上ります。これは20億人を養える量で、飢餓寸前の状態にある2億７０００万人を十分食べさせることができるのです。私たちは次世代のために環境に優しくならなければいけませんが、同時に、現在生産しているものを有効に活用しなければなりません。

――世界を養うのに十分な食料が生産されて先進国の人々は豊かな食事を楽しみ、多くの食料を捨てています。その一方で、食料を生産している人々は、混乱の中で食料を手にしていない。これは社会的不平等が世界的に広がっているということです。

ビーズリー　食料の輸出入における不公平な取引は状況を悪化させる可能性があり、私たちはできる限り物事を公平かつ平等に維持していく必要があります。

まず認識してほしいのは、富裕国と低所得国のあいだの社会的不平等がグローバルに蔓延している現状です。パンデミックのさなかにもかかわらず、世界の総資産は４００兆ドルに達しました（２０２０年10月、クレディ・スイス社調べ）。富裕国では２・７兆ドルもの富がたった2か月で生み出されています。この途方もない富に対し、飢饉を回避するのに必要となるのは、たった60億ドルです。

こうした現実を前に、「これだけ富があるのなら、お腹を空かして寝る子どもは地球上に一人たりともいるはずはない。ましてや、飢餓で死ぬ子はずっと少ないはずだ。それなのに、何が足りないというのだろう」と、思わずにはいられません。私たちは、もっとうまくやれるはずなのです。

何よりもまず紛争を終わらせなければならない

――ビーズリーさんは、イエメンをはじめとする紛争地帯にしばしば足を運び、現地の惨状を訴えています。飢えが紛争を引き起こしているのでしょうか。それとも紛争が飢えを悪化させているのでしょうか。

ビーズリー　先ほど、あなたがおっしゃったように、パンデミックが始まる前のこの4、5年、飢餓の危険にさらされる人数が急増していました。もちろん気候変動もその背景にありますが、第一の原因は人為的紛争です。

たとえば、地球上最悪の人道的惨事が起こっているイエメンの人口は3000万人ですが、WFPは約1300万人を支援しています。しかし、状況は悪化の一途をたどっています。イエメンの人々に1日当たり必要な配給量すべてを提供するには資金が不足しているため、約850万人に対しては、半分の量しか提供できないでいます。しかも、今後3週間ほどで、その配給量をさらに切り詰めなければなりません。すでに罪のない貧しい人々が紛争の犠牲者となり、子どもたちは次々と死んでいます。このような恐ろしい事態に、一刻も早く終止符を打たなければなりません。内戦を終わらせることができれば、イエメン国民に希望をもたらすための援助が可能になります。

２０１８年、ＷＦＰは国連安全保障理事会と協働して、決議案２４１７号の採択を実現しました。理事会のメンバー15か国が満場一致で採択したこの決議では、「進行中の武力紛争と暴力が人道的な打撃をもたらし、効果的な人道的対応を妨げ、よって飢饉のリスクの主な原因となっていることへの深刻な懸念」が強調されています。

この決議が示すように、国連は「飢えが紛争を駆り立て、紛争が飢えを駆り立てる」と明確に理解しています。飢えがある限り平和はもたらされず、平和がなければ飢えが地上からなくなることはありません。この二つが密接に絡み合っていることに、いま、誰もが気づき始めています。飢えに対する効果的な〝ワクチン〟は食料です。戦争を終わらせ、〝ワクチン〟を紛争地域から他に回すことが必要です。

ＷＦＰの資金や人員の多くが、人為的紛争地域に送られています。もしその何十億ドルもの資金を他の低中所得国の開発に回すことができたらと想像してください。戦争や紛争を終わらせることができれば、まだ気候変動問題を解決できていなくても、飢餓をなくすことができると、私は確信しています。

たとえば、ＷＦＰは、深刻な干ばつと大洪水が起きているサヘル[★2]地域で、食料配給計画や、地元の食材でつくられる学校給食プログラムを実施し、現地の小規模農家たちと一緒に何千エーカーもの広大な土地の回復や集水に取り組み、人々が生存できる環境をつくり出そうとしています。実現されれば、住民たちはもうＷＦＰの支援を必要としなくなるのです。

実際、他の地域への難民も、10代の妊娠やローティーンの結婚も、イスラム過激派組織からの勧誘も激減しました。食料が戦争や紛争に動員するための〝武器〟として使われていますが、WFPは食料を〝平和のための武器〟として、つまり平和を実現するため、和解するため、人々をまとめるために使います。それがわれわれWFPのやり方であり、世界はその方向に進むべきだと信じています。

★2　西アフリカのブルキナファソ、マリ、ニジェールを含むサハラ砂漠南側一帯。

「2030年飢餓ゼロ」は達成できるか

――2019年に発表された、IPCCの報告書は、「気候変動、水不足、土壌劣化、人口急増といったことが理由となって、将来の食料生産が減少する可能性がある」と指摘しています。そうしたことからも、国連が掲げるSDGsの「2030年飢餓ゼロ」達成の見通しは非常に厳しいものです。

ビーズリー　さまざまなことが話し合われていますが、WFPの支援を必要としている人々は、気候変動に対するグローバルな解決策など待ってはいられません。彼ら・彼女らは今日、今週、今月、今年、生き延びなければならないのです。

しかし私は、地球上から飢餓をなくすことが可能だと信じています。以下は繰り返しになりますが、そのための方法は二つ。何よりもまず、人為的紛争を終わらせること。そして二つ目は、世界に存在する４００兆ドルもの富とＷＦＰが有している専門知識を組み合わせることです。地球上のすべての人が十分に食べ、安心して眠れるようにできるリソースと能力と専門知識はあります。あとは私たちがこの問題に関与するかどうかにかかっています。

――各国が国内問題ばかりに力を注いで、海外のことに目を向けようとしないとしたら、２０３０年、２０５０年に向け、何が起こってしまうでしょう。

ビーズリー　私たちはいま、紛争や気候変動、コロナ・パンデミックによるサプライチェーンの混乱によって、本来進むべき道とは反対方向に進んでいます。30年後、50年後に向けて戦略的計画を立てて進まなければ事態は壊滅的なものとなるでしょう。現在、78億人を食べさせることに悪戦苦闘しているのであれば、人口が１００億となったら、どれほど深刻な事態になるかは明らかです。

――食料は人間の生存に欠かせない、基本的人権に関わるものですが、複雑な問題があまりにも多く存在します。私たちはさまざまなことをこれまでとは違う方法で行わなければなりません。そして、人々は行動を起こすことの必要性をより深く認識しなければなりません。

ビーズリー　２０２０年、ＷＦＰにノーベル平和賞が授与された意図は非常に明確だったと思います。メッセージの一つは、「ＷＦＰの若いスタッフたちが日々、紛争地帯や自然災害の現場で自らの生命をリスクにさらし、世界中で安定と平和をもたらそうと活動していることに感謝する」というものでした。

そしてもう一つのメッセージは、「パンデミックによる経済悪化のため、あなたがたはこれから最も困難な仕事に取り組むことになる。もしこれから起こることが予測されている問題に取り組まなければ、大規模な飢饉や飢餓、情勢不安、大規模な難民が発生するだろう。飢えと平和と安定はすべてつながっており、私たちは先んじて問題に取り組まなければならない」というものです。

先日ある人から、「将来についてどう思うか」と尋ねられた私は次のように答えました。「現在、パンデミックによる経済悪化に伴い、2億7000万人が飢餓の瀬戸際にある。率直に言えば、このような大惨事を前に、将来のことを考えるのは難しい」。

いまの私たちは、まるでタイタニック号に乗り込んでいるかのようです。目前にまさに〝氷山〟が待ちかまえているのに、人々はボールルームでワイングラスが割れたことや、誰かのベッドルームでタオルが紛失したことをおしゃべりしたがっているように、私には思えます。現在、そして未来のために、より大きな、極めて重要な問題に焦点を合わせなければなりません。でなければ、より大きな困難に見舞われ、子どもたちは悲惨な未来を生きることになるでしょう。子どもたちや孫の世代のために、人口増大に向けて地球という惑星を準備させることほど重要な仕事はないはずです。

この数年、私が非常に懸念していたことの一つに、世界のどこでテレビを点けても、ドナルド・トランプ氏を巡る話題でもちきりだったということがありました。人々がこうした話題に気を取られているあいだにも、世界中で多くの人が餓死しています。いまやスマートフォンなどを通じて簡単に情報にアクセスできるのですから、戦争や紛争、情勢不安、気候変動の問題を知り、認識を深め、行動を起こすことは容易なはずです。しかし十分な情報アクセスや富があるにもかかわらず、私たちが後退していることを考えると、本当に恐ろしくなります。私たちは何か過ちを冒しているのかもしれません。

一歩下がって、私たちは何をすべきか、再検討する必要があります。よりよい将来を目指すためにできることはたくさんあり、世界の指導者たちが団結し、課題解決に対して真剣に取り組むことが求められます。

とはいえ、私は楽観主義者です。太陽は必ず昇り、コップの水はまだ半分残っていると考えます。いまから２００年前の世界は、人口11億人のうち95パーセントが極度の貧困にあるという信じ難い状態でした。現在、その割合は10パーセント以下にまで低下しました。この２００年のあいだ、食料や住居、富を分配するシステムと政策がつくり上げられたからです。大局的に見れば、状況は明らかに改善の方向に進んでおり、90パーセントの成功率をもたらしたと言えます。しかし、貧困に苦しむ人々がいなくなったわけではありません。私たちがなすべきことは引き続き前進し、この人たちを助けることです。

私は、若い世代が立ち上がり、この世界をよりよいものにしようとしていることに希望をもっています。しかし、未来への責任を彼ら・彼女らだけに担わせてはいけません。世界中の人々が一緒になって、食料問題と飢餓の解決を目指すことが必要なのです。

インタビュー 2

クレイグ・ハンソン

持続可能な食料システムへの転換を

Craig Hanson

国際環境NGOであるWRI(世界資源研究所)の副所長を務め、食料システム研究の世界的権威として知られる。イギリス・オックスフォード大学で環境マネジメント、哲学、政治学、経済学の修士号を取得後、マッキンゼー・アンド・カンパニー社でコンサルタントとして勤務。その後、アメリカ企業との協働で自然エネルギーを促進するグリーン・パワー・デベロップメント・グループを指揮、WRIでも数々の環境プロジェクトを率いる。

ＷＲＩ（世界資源研究所）は、各国の政府機関や企業、市民社会と協働する国際環境ＮＧＯである。クレイグ・ハンソン氏は、同ＮＧＯで食料・森林・水資源・海洋環境を担当し、さまざまなプロジェクトを率いている。

インタビューでハンソン氏は何度も、食料システムを改善していくことの重要性を強調した。供給の不平等をはじめとした食料システムが抱える問題は、気候変動や生物多様性へのリスクなど、多くの社会課題と密接に絡み合っている。たとえば、食料システムとそれに関連した土地利用は、1年間に排出される温室効果ガスの約25パーセントを占めている。気候変動を解決するには食料システム問題を解決することが不可欠なのだ。

ハンソン氏によれば、不完全な食料システムによって、次のような事態が引き起こされるという。食料確保のために貴重な熱帯雨林やサバンナを開拓して農地に転換すれば、温室効果ガスの排出量は一層増大しそれが気候変動の引き金となり、干ばつや洪水などの災害も発生する。その影響を受けて食料生産が低下。その埋め合わせとしてまた農地が開発され、ふたたび同じサイクルが繰り返される……そんな悪循環の行き着く先は生物の大量絶滅、先住民の生活や文化の破壊、そして地球そのものの〝死〟だ。

こうしたシナリオを避けるためには、私たちがいますぐ行動することが必要だと、ハンソン氏は訴える。誰もができることは、環境負荷が高い牛肉などの赤身の肉ではなく、植物性の材料でつくられた代替肉や果物、野菜をより多く食べること、そして、食品ロスを減らすために、食べ残しをしないことだ。

私たちの未来を左右する食料システムはどのように転換されるべきか、そしてそのための方法は何か。国谷裕子さんが投げかけた数々の質問に対して、ハンソン氏の答えは常に明確だった。進むべき道はすでに示されており、あとは、私たちの行動が問われているということだろう。

危機に脆弱な食料システム

――私たちは現在、食料システムにおける深刻な不平等を目の当たりにしています。低所得国の人々が慢性的あるいは急性的な飢餓に苦しんでいる一方、先進国では飽食により大量の食べ物が廃棄されています。このような状況にあって、私たちが直面する食料問題全体についてどう考えていますか。

ハンソン　おっしゃるように、日々食べるものに事欠き、十分な栄養が採れない人々がいる一方、飽食をしたり不健康な栄養を採り過ぎたりしている人々がいます。地球上に、栄養不足の人と栄養過多の人が同居しているのです。こうした不平等を促進するだけではなく、気候変動など地球規模の危機にも影響を与えているのが、現在の食料システムです。食料システムの改善は、人々の健康の回復や、気候危機などの課題を根本的に解決することにつながると言えます。

――今後、２０５０年に向け、グローバルな食料システムには増産への慢性的なプレッシャーがかかるだろうと予測されています。かつてないほどの人口増加に加え、より多くの国が豊かになり、よりよい食べ物を望む

ようになることがその理由ですが、こうした将来に向けて、最も重要な課題はなんでしょうか。

ハンソン　私たちには、世界の人口が100億人に到達するとされる2050年、そのすべての人々に栄養を考慮した適切な食料供給を実現できるかが問われています。経済開発の推進と気候変動対策を続けながら、です。

われわれWRIの見るところ、グローバルな食料システムの改善には次の4点が必要です。

第一に、既存の農地でより多くの食料を生産する必要があり、またそれは持続可能な方法によって行われなければなりません。

第二に、世界に残存する生態系や熱帯雨林、サバンナを保護する必要があります。なぜなら、食料システムは森林伐採の最大の原因だからです。

第三に、食料需給を減らすことが必要です。方法としては、食品ロスや食品廃棄物の削減、それから食生活の転換が考えられます。たとえば、牛の畜産はアマゾンの熱帯雨林伐採の大きな要因ですから、特に西洋諸国は牛肉消費を減らす必要があるでしょう。

そして最後に、自然を回復させ、劣化した農地の生産性を回復させることです。われわれWRIはこれらの改善ポイントをまとめて、「生産、保護、削減、回復」と呼んでいます。

深刻化する水資源問題

――気候変動の影響は非常に憂慮すべき問題で、なかでも、水不足への懸念が高まっています。国連のグテーレス事務総長は2018年3月に行われた、「水の国際行動の10年」の開幕式において、「2050年までに、世界人口の4人に1人は、水不足が慢性的に、あるいは繰り返し生じる国で暮らすことになる」と警告しました。水資源問題の深刻さをどうお考えでしょうか。

ハンソン　水資源の問題は、気候危機が食料システムに与える主要な影響の一つです。ある地域では水が過剰に存在しますが、別の地域では特に作物が成長する時期、水不足に陥り、食料システムに悲惨な影響を及ぼしています。人類はこれまで類を見ない劇的な水資源の変動を通じて、気候危機を経験しているのです。

――たとえば、南アフリカの首都ケープタウンでは先進国向けのワインの生産が主要な産業の一つです。1杯のワインを生産するには、大量の水が必要とされています。しかしその一方で、南アフリカではダムが枯渇し人々が干ばつに苦しんでいることを考えると、こうした嗜好品輸出のあり方が持続可能なものだとは思えません。

ハンソン　そうした問題は南アフリカだけではなく、多くの国で見られます。たとえば、なぜパキスタンやカリフォルニアの一部の地域のような乾燥した場所で綿花や果物、野菜が生産されているのかと言えば、政府が灌漑システムに大規模な投資や助成を行い、その土地の自然条件では育たない作物の生産を支援しているからです。

本来は、その土地の条件に適切な作物をつくることが必要なのです。地域住民たちはずっと以前からこの問題を理解していますが、政府の助成金やインセンティブは非常に強力で、なおかつ農業経営者たちの政治力も相まって、なかなか解決できずにいます。

これは、これからの20～30年間で食料システムが直面する大きな問題です。「適切な作物」が生産されていない国が多過ぎるのです。いずれ、私たちは、その土地に不適切な作物をつくることは持続不可能だと否応なく気づかされることになるでしょう。

――灌漑農業の40パーセントは地下水に依存しているにもかかわらず、世界の多くの地域で地下水を蓄える帯水層が枯渇してきています。たとえば、アメリカの一部のトウモロコシ穀倉地帯や、中国北部の一部の地域がそうです。そして、これらの地域で生産された作物が世界各地へ輸出されています。こうした大量生産国に私たちは今後も依存し続けることはできるのでしょうか。

ハンソン　私はアメリカ中部のオガララ帯水層がある地域で育ち、毎年のように帯水層の水位について話を聞かされてきた人間です。

実のところ、帯水層の枯渇に対する解決策は存在します。一つは、繰り返しになりますが、その土地に適切な作物を栽培すること。もう一つは、作物をより乾燥した気候やより少ない水で育つように品種改良することで、これについては、いくつかの作物で成果が出ています。
それから、効率性の高い灌漑システムも有効です。現在使われている灌漑システムは効率が悪いものが非常に多く、ほとんどの水は作物に吸収されずに空気中に蒸発してしまい、土地を乾燥させる原因にもなっています。科学者たちは効率的な灌漑システムの可能性をさまざまなかたちで示してきていますが、現行システムへの助成金が出ており、農家にシステムを改善するインセンティブがないのです。つまり、〝正しい信号〟が発信されているのに、それが伝わっていない状況です。

土壌の改良はすぐに始めなければならない

――土壌の劣化も深刻な問題の一つです。世界の大地で農業に適しているのはごくわずかだと言われており、専門家は土壌資源が急速に失われていると警告しています。現在の食料システムが土壌の劣化を加速させているのでしょうか。

ハンソン　多くの人は豊かな土壌の存在を当然のもののように考えていますが、食料システムのすべての構成要素のうち、土壌はつくるのに最も時間を要し、取り替えが最も困難なものです。そして、農耕は人類が1万年前に開始して以来、地球の土壌が劣化する主原因であり続けてきました。たとえば、1930年代のアメリカ中西部では、草原を農地に変えたことが原因となり、ダストボウルという大規模な砂嵐が断続的に発生し、数十万ヘクタールもの農地を荒廃させました。近年、同様の砂嵐がさまざまな国で起きています。

しかし、食料システムにおける土壌の役割が注目され、問題を解決する動きも出てきています。土壌の保護と肥沃化に向けた取り組みに対する投資の増加はその一例で、森林・草原を保護して農地への転換を阻止するほか、被覆作物[★1]などを育てたり、風や水による土壌の侵食を防ぐため農地を防風林で囲ったりすることも行われています。

農法も重要です。幸いなことに、窒素と炭素を土壌に戻すアグロフォレストリー[★2]やいくつかの種類の作物を一緒に育てる混作など、土壌を豊かにするさまざまな農法がすでに存在します。

土壌を肥沃にするために行う地球規模の取り組みは1世紀以上もかかりますが、農業の生産性を維持するには、この長いプロセスを欠かすことはできません。

――食料システムの変革が急がれるなか、土壌をふたたび豊かなものにするために、1世紀もの長い時間をかけていいのだろうかと思ってしまいますが。

ハンソン　たとえば、アフリカの食料生産量が低い理由の一つは土壌が痩《や》せていることにあり、この問題を解決せずに生産量を向上させることはできないのです。将来十分な食料生産量を得るためにも、健康かつ栄養分や炭素が豊かな土は欠かせません。土壌の改良には長い時間がかかりますが、ともかくいま、始める必要があるのです。森林回復のために木を植えるのに最適なタイミングが20

年前だったとしても、次善のタイミングは今日であることと同じです。

★1　土壌への侵食防止や雑草の抑制などを目的として、地表面を覆う植物。

★2　「アグリカルチャー（農業）」と「フォレストリー（林業）」を組み合わせた言葉で、森林伐採をせずに農地を確保し、二酸化炭素を吸収する森林の保護と農業の両立を目指す。熱帯地域を中心に、世界の約6億ヘクタールで普及している。混農林業。

食料安全保障の維持に必要なこととは

――日本も含む食料輸入国は、水、土壌、気候変動の問題、それから輸出国の政治不安など、さまざまな懸念材料を考慮しなければなりません。ある日突然、輸出国による輸出制限に直面するかもしれませんし、輸出国がなんらかの理由で自国民への食料確保を優先する事態になれば、食料価格は突如として跳ね上がり、供給される食料はごくわずかになってしまう可能性もあります。このように食料の輸出入には多くの要素が複雑に絡み合いますが、食料安全保障を強化するために、輸入依存国に対してどのような助言をされますか。

ハンソン　食料輸入国は、将来の食料を確保する上で、やらなければならないことがいくつかあると思います。

まず、世界のある地域で経済的・政治的な危機や大干ばつのような環境危機が発生した際、必ず行うべき重要な対策の一つは、国際的制度を通して他の国々との関わりをもち、輸出国によって食料貿易の国境閉鎖が起きないよう、はたらきかけることです。

たとえば、２００７〜２００８年に起こった食品価格急上昇の要因の一つは、各国による貿易の国境閉鎖であり、それは自国の食料確保に有益だという判断に基づくものでした。しかし実際には、その波及効果で食料不安が増幅して食料価格全体が高騰し、国境閉鎖を行った国々の消費者にも影響が及んだのです。★3 ですから、貿易ルートの扉を開けておくことは必須であり、それは国際的制度を通して取り組むべきだと言えます。

第二にすべきことは、国際的な舞台で各国と活動的に関わり、ともにパリ協定をはじめとする気候変動対策に真剣に取り組むことです。世界の国々が食料システムを変えない限り、気候変動による食料安全保障の脅威は深刻化する一方なのですから。日本や他の食料輸入国が気候変動対策に積極的になることは、長期的な食料安全保障につながるでしょう。

第三に重要なのは、食料需要を減らすことです。食料の需要そのものを減らさなければ、熱帯雨林はすべて失われ、気候変動はさらに深刻化し、食料安全保障は破綻することになります。

食料需要の増加を抑えるには、食品ロスと食品廃棄物を減らすことです。ＦＡＯによると、食料の平均３分の１が、農場から食卓に上るまでのあいだに失われています。これは驚くべき量です。

輸入した食料と自国で生産・調理された食料がすべて確実に消費されるようにすること自体が、食料システムに対するプレッシャーを緩和し、食料安全保障を高めることになります。また、生産された食料を最大限に消費することにより、農地転換や農薬・水の使用、土壌の侵食を減らすこともできます。たとえばイギリスやデンマークでは食品ロスと食品廃棄物をすでに25パーセント削減しており、これは比較的容易に取り組める問題ではないかと考えています。

食生活の転換も、食料需要を減らすことにつながります。なぜなら、人々は豊かになると、たとえば牛肉のような、より多くの資源を必要とする食べ物を求めるようになり、それが結果として需要の増加につながっているからです。アフリカの一部の国のように栄養不足になっている地域では、もっと肉を食べた方がいいとも言えますが、世界の20パーセントの人々は赤身の肉（牛肉、豚肉、羊肉）を食べ過ぎているのですから、その削減は重要です。

食生活の転換を具体的に言うならば、牛肉のような環境負荷の高い食べ物の摂取を減らし、食物連鎖のピラミッドにおいて低い位相にある食べ物を中心とする食生活にシフトすることです。実際、その方が健康的でもあるわけで、現在多くの人がベジタリアンとしての生活を選択していますが、これはより健康的な食生活へのシフトだと言えるでしょう。

また、ここ数年、健康的な食生活とはすなわち持続可能な食生活であることが、多くの科学的研究で証明され始めています。つまり、食生活の転換は栄養、健康、環境、食料安全保障にとってよいことだと言えるのです。

★3　2006年秋ごろからの穀物（コメ、トウモロコシ、小麦など）、大豆の価格急騰を受け、世界の食料価格が高騰し、その結果、世界の栄養不足人口は増加し、食料を輸入に頼る途上国では暴動などが発生した。

より健康的で持続可能な食生活の転換を

——食料需要は今後世界全体で50パーセント増加し、特に、環境への負荷が高い動物性の食料需要は70パーセント近く増加するとの予測もあります。そうした状況のなか、私たちがどの程度、食生活を変化させれば、食料システムを持続可能なものとすることができるのでしょうか。

ハンソン　ＷＲＩでは、この問題に関する二つの主要報告書を発表しました。一つは世界銀行とＵＮＥＰ（国連環境計画）と共同で作成した「世界資源報告書」、もう一つは「Food Values Coalition」です。これらの中で、われわれは２０５０年までに目指すべきモデルを示しましたが、なかでも食生活の転換は食料システムに最も大きな影響を及ぼします。なぜなら、食生活の転換は、栽培される農作物の種類や投じられる資源量に多大な影響を与えるからです。

——もし世界人口の20パーセントの人たちが肉の消費を減らしたら、私たちは、どのくらいの土地を使わないで済むのでしょうか。

ハンソン　食品ロス・食品廃棄物の削減を行うとともに、タンパク質を肉や乳製品ではなく豆類から摂取すれば、約6億ヘクタール、つまりインドの約2倍に当たる面積の農地を使う必要がなくなります。２０５０年までにこれだけの農地が減らせるとしたら、大きなインパクトになるでしょう。

温暖化ガス排出量も年間で数ギガトン削減できるほか、同様に水需要の削減にも大いに寄与します。人間の行動変容は難しいため、食生活の転換は容易ではないでしょう。しかし、不可能ではありません。

死に至る悪循環に陥らないために

――イギリスのアングリア・ラスキン大学のアレッド・ジョーンズ教授らは、気候変動の影響により、食料システムへのショックはさらに大きくなり、今後30年のあいだに、世界的な危機をもたらす可能性が高いという報告書を発表しています。政策が改善されず食料システムが脆弱なままでは、食料不足による暴動は世界的に拡大し、その混乱は社会崩壊につながるとしています。こうした予測に対しては、どのようにお考えでしょうか。

ハンソン　今後30年の世界について、私は少し異なる見解をもっています。

壊滅的な食料不足に関する考え方は、これまで長いあいだ示されてきました。私が生まれた当時も、『人口爆弾』(ポール・R・エーリッヒ著、1968年。邦訳74年)という本がベストセラーとなっていました。すでにそのころから、人口増加によって大規模な飢餓が生じると考えられていたのです。しかし実際には、科学の進歩によって食料生産は増加し、今日の飢餓人口は1960年代後半より減少しています。

現在の危機についても、同じことが言えます。もしなんの変化も起こらなければ、その報告書のシナリオどおりになるでしょう。しかし、変化は起こりつつあります。とはいえ、私はバラ色で楽観的な未来を夢見ているわけではありません。

今後、気候変動によって大規模な干ばつが起き、結果、食料生産量が減少する地域が出てくるはずです。そうなれば、食料確保は常に優先されます。ですからこの先、ブラジルやアルゼンチンなどの政府は減少した食料生産量を埋め合わせようと、残存する森林や熱帯雨林、大草原を開拓し多くの食料を生産するでしょう。同じことがアフリカのサバンナなどでも起きるかもしれません。

こうした新たな開拓は気候変動をさらに加速させます。森林や草原を転換して二酸化炭素を放出してしまい、気候変動を悪化させる悪循環が起きれば、その結果、生物が大量絶滅して多様性が失われ、先住民族はまったくいなくなってしまうでしょう。最後の先住民族は生活と文化という究極の代償を払わされるわけです。私たちは、こうしたシナリオを回避しなくてはなりません。

――そのシナリオは、〝4℃の気温上昇〟というコースに乗っています。6℃までいってしまうかもしれない。食料分配の不平等もより深刻化するでしょう。

ハンソン　まったくそのとおりです。高価な食料を購入できる豊かな人たちが重荷を負うことなく、貧しい人たちがそのツケを支払うことになるでしょう。食への欲望がいつも勝利し、貧困層はいつも敗北します。残念ながら、それが人類の本性なのです。

――加えて、飢餓は紛争を招きます。

ハンソン　アメリカの治安当局やCIA、国防省などはさまざまなモデルに基づき、将来、どこで衝突が発生するかを予測していますが、気候変動が誘因となった水や食料危機が発生している地域は、これらの機関が〝紛争のホットスポット〟として予測しているリストに次第に登場しています。残念ながら、あなたのご指摘のとおりです。

――ですから、二酸化炭素排出や水の使用を減らして、農地を増やさずに100億人を養う挑戦を始めなければならないのですね。

ハンソン　食生活を変え、食品ロスや食品廃棄物を減らすことで、需要の増加を抑え、そして自然や土壌を回復することで、〝持続可能な食料の未来〟にたどり着けるのです。

――気候変動に取り組む欧州グリーンディールは「農場から食卓へ」という政策を柱の一つに据え、小規模農家を助成し、有機農業の割合を現在の8パーセントから25パーセントに増加させることを目指しています。あなたは、望ましい農業のあり方や農業政策について、どのようにお考えですか。

ハンソン　どのような農業システムでも重要なのは結果です。十分な食料を生産しているか、栄養価は高いか、気候変動や水脈に負荷をかけていないか。ですから、有機かそうでないかではありません。言えることは、地球上の多くの場所であまりにも多くの肥料が使われていることです。同じ収量を得ながら、肥料を減らすことは可能です。

同時に、農家には21世紀の現代的な技術、たとえば携帯端末を活用し、植え付けや収穫の時期、肥料の質などについてデータで管理するなどの手法を取り入れるよう、奨励する必要があります。灌漑システムについても、水供給が必要な時期や土壌の状態を把握するためのさまざまな技術が開発されており、こうした技術を活用する農業は10～20年後には主流になっているでしょう。

――EUの政策は、補助金を大規模農家から小規模農家へシフトさせ、自然を保持する農業に補助金を出すというメッセージを出しています。これはとても重要で正しい方向を示していると思いますが。

ハンソン　実際、農業には6000～7000億米ドルもの補助金が注ぎ込まれていますが、その大部分は間違ったことに使われています。裕福な農家に不適切に支給されています。本当に支援が必要なのは、彼らではありません。「適切な農家による適切な実践」を対象とするような補助金が求められています。政府は持続可能な農業に取り組む農家を支援すべきなのです。具体的には、水路の修復や農場に隣接する森林の回復の試みや、化学肥料削減の実践に対する資金供給などが必要です。市場も、トウモロコシ、ジャガイモ、コメなどを生産するそうした農家にきちんと報いるべきでしょう。

すべての人が危機意識をもつためには

――気候変動をこれ以上深刻化させないためには、2030年までの10年間が極めて重要であり、私たちの行動が問われています。食料システムの観点からは、私たちは優先的に何をすべきだと思いますか。

ハンソン　そのためにはまず、食料システムの重要性を世界が認識することが必要です。あまりにも長いあいだ、人々は現在の食料システムについて考えもせず、当然のものとして捉えてきました。しかし、食料システムは気候変動や国際安全保障、人間の健康など多くの問題の根幹をなしているのですから、もっと議題にされるべきなのです。

幸い、2021年9月に世界初の国連食料システムサミット[★4]が開催されることが予定されています。これを機に、食料システムは急速に世界的議題になることでしょう。サミットでは、参加する国や企業が意欲をもって、「持続可能な食料システムへの転換」を始めることを期待しています。結局のところ、行動を引き起こすのは意欲なのです。

次に、国は政策を立案し、「持続可能な食料システムへの転換」を支援することが必要です。そして、民間企業による解決策、たとえば持続的に生産量を増加させる新しい技術、あるいは必要な地域にきちんと食料が届く弾力性のある物流システムの構築が求められます。

最後は消費者です。私たち消費者も食料システムの転換に大きな役割を担っています。何を食べるかを選択し、購入し、皿の上の食べ物を完食することは、農地面積や水資源、食品需要などさまざまな面で食料システムを動かす大きな原動力にも引き金にもなります。食品を選び、そしてそれを食べ切ることは、私にもあなたにも毎日毎晩できることです。それは食料システム全体にシグナルを送り、変化をもたらすのです。

――自然は私たちに、限界があることを示して、選択肢は他にないことを教えてくれています。

ハンソン　かつてウィンストン・チャーチルはアメリカについて、「彼らはいつも、ありとあらゆる間違った選択をやり尽くしたあとに、結局、正しいことをする」と評しましたが、それは人類全体にも言えることだと思います。危機に直面すれば、人類はこれまで私が述べてきたような食料システムの転換のための政策や技術を開発せざるをえなくなり、この転換をやり遂げる決意をもつよう強いられることになるでしょう。

――先進国の人々は、周りに食料が豊富にあるので、時間との勝負になっていることを実感するのが難しいかもしれません。

ハンソン　私たちは何度も「危機が目の前に迫っている」と警告されても、行動しようとしないのです。地平線上に危機が現れても何もしない。1マイル先に来ても何もしない。角を曲がっても何もしない。自分の家の玄関まで迫ってはじめて、反応するのです。

こうしたことは、人類史上、何度も繰り返されてきました。ですから、危機のホットスポットを見出し、人々の注目をそこに集めなければなりません。特に教育者やメディアの役割は重要です。「私たちは豊かさを享受しているが、X国やY市では深刻な危機が起きている。危機が私たちのところに来るのはそう遠くない」と説き、すべての人が、遠くにあると思っている危機を身近に思えるようにしなければなりません。力を一つにまとめ、直ちに動き始めるには、それしかありません。

――私は、世界規模の食料危機が本当に起きるのではないかと恐れています。人類の文明において、この深刻な事態を若い世代の人たちに伝えるとすれば、どのように説明すればいいでしょうか。

ハンソン　次の世代に伝えたいことは、「探求すべきは、持続可能な開発だ」ということです。私たちは環境の制約の中で、持続的な発展の道を探さなければなりません。人類の歴史上、こうした開発と環境の衝突は何度もありました。まさに私たちはいま、そうした衝突に直面していると言えます。

食料を求める人間の探求は、大きな変化をもたらしてきました。1万年前の狩猟採集の時代と比べればわかるように、人類は食料への探求によって今日の文明を築き上げてきました。食料は私たちの生活に基本的な物質です。しかし、温室効果ガスの25パーセントを排出し、水の70パーセントを使用し、生物多様性の危機の主な原因でもあります。化石燃料もいまの生活と文明を与えてくれているもう一つのものですが、気候変動の最大の原因です。

ですから、私たち人類にとっての課題は、持続可能な食料システムと持続可能なエネルギーシステムなのです。他は付随的なものに過ぎません。

★4　国連のSDGsを2030年までに達成するために定められた「行動の10年」の一環として、2021年9月にニューヨークで行われる予定の国際会議。各国首脳、閣僚、国際機関の長、市民社会、民間企業等が参加し、議題として、①質（栄養）・量（供給）両面にわたる食料安全保障　②食料消費の持続可能性　③環境に調和した農業の推進　④農村地域の収入確保　⑤食料システムの強靭《きょうじん》化が挙げられている。

未来への展望

システム改革への挑戦――「食べる」という行為を見直す

岡田朋敏

食料システムを変えたい――世界で始まった動き

飽くなき消費を追求し、大地を傷め続ける食料システムをどう変えればいいのか。人口100億となる2050年を前に、すでに限界点を超えようとしている世界の中で、どうすれば持続可能な未来を築いていけるのか。いま、食料システムを、根底から見直そうという動きが始まっている。

2019年、スウェーデン・ストックホルムで食料システムの改革を訴える大規模なカンファレンスが開かれていた。主催したのは、ノルウェーに本拠を置き、食料問題に取り組むEAT財団。1000人を超える世界の有力政治家や研究者、企業などが集っていた。

「ホットハウス・アース理論」を提唱するストックホルム大学レジリエンス・センターのヨハン・ロックストローム博士も講演を行い、世界の排出量の4分の1を占める食料システム改革が温暖化対策にいかに重要かを理論面から熱く語っている。スウェーデンの国際開発担当大臣も講演で改革の重要性を強く訴えていた。

ちなみにこのカンファレンスは、２０２０年はパンデミックのためオンライン開催となったが、それでも同様の規模の人が集った。この財団は、いま、食料システム改革の台風の目になっている。財団が提唱しているのが、「プラネタリー・ヘルス・ダイエット」という概念だ。先進国での浪費を止めると同時に、生産や流通の仕組みなどシステム全体を改革することで、その脆弱性を解消しようとしているのだ。

特に注目を集めたのが、２０１９年に世界的な医学誌である『ランセット』とタイアップして、地球と健康の双方に望ましい食のあり方について報告書を発表したことだ。「The EAT-Lancet」と呼ばれる報告書で、その内容は世界に衝撃を与えるものだった。

この報告書を作成するにあたり、財団は『ランセット』と共同で委員会を設立。科学者たちとともに栄養学、疫学などの研究を基に、長生きし、健康を維持するために最も適した食事をまず考えたという。その結果、赤身肉（牛、豚、羊の肉）であれば、1日最大28グラムが上限だと判明。そして他の食品から取り入れられるタンパク質も考慮に入れ、環境負荷がこれ以上増えず、地球が維持できる食事をモデル的に考えていったのだ。

報告書では、健康にも配慮された持続可能な理想的な食事を次のように提示している。

「半分は野菜。豚や牛は週に98グラムまで、鶏は２０３グラムまでに抑えること」

これは、肉食が中心の先進国では牛肉や豚肉を8割以上、魚を多く食べる日本でも7割削減するよう勧めるものだ。不足するタンパク質は豆類やナッツから摂取することを推奨している。一方、アフリカなど途上国側からすると、肉食の増大につながることになる。現在はあまりに肉を食べていないためだ。ただし、先進国側が肉食を減らすことで、全体としては減少する。肉の生産に使わない大量の穀物は貧困層に回し、飢餓や偏りを解消できるという。

代表のグンヒルド・ストルダレン会長は、医師でもある。北欧のホテル王として知られる夫と結婚し、環境経営に着目したことから、食が環境問題や格差の問題に直結する大きな問題だと気づいたという。しかし、この問題を話し合う場がどこにもなかったため、財団を立ち上げた。

ストルダレン会長は、われわれの取材に、今後地球上で誰も飢えることなく100億人を養うためには、システム全体を改革しなければならないと熱く訴えた。

「私たちはシステム全体を修正する必要があります。どれか一つではダメなのです」

こうした動きが連なり、国連では、アントニオ・グテーレス事務総長の強い指示のもと、世界ではじめて各国首脳も出席するハイレベルの国際会議、食料システムサミットが2021年9月にニューヨークの国連本部で開かれることになった。

サミットでは、生産から流通、消費に至るまで全体を見直そうとしており、そのための目標を決めていく予定だ。この中では、政府だけでなく、食料システムにかかるさまざまな関係者（生産者、企業、消費者等）も参加し、自ら実施できる持続可能な食料システム構築のための具体的な行動（アクション）が求められることになる。

現在、日本でも農林水産省がこのサミットに向けて、さまざまな事業者や農家などと頻繁に意見交換を実施している。２０５０年までに農薬の使用量を半減、化学肥料の使用量も現状から30パーセント削減する目標を国として打ち出した。食料システム改革が本当に実現可能なのか、今後の行方が注目されている。

人工肉へ――企業の胎動

最大の課題が、飽食の解消である。特に、ＥＡＴ財団の掲げた理想的な食事にもあったように、肉食の見直しは必須と見られている。肉食の拡大は、水の枯渇、格差の拡大とともに農地の拡大へとつながり、温暖化も促進してしまうからだ。

こうしたなか、さまざまな企業で肉食を削減し、代替食品でタンパク質を得る手段が開発されている。なかでも注目を集めているのが、「人工肉」への取り組みだ。

日本でも時折スーパーなどで見かけるようになったが、まだ一般的とは言えない。しかし、肉食の多い欧米では、これをビジネスチャンスとして捉え、多くの企業が参入を始めている。世界の食肉市場の規模は１兆８０００億ドル（約２００兆円）相当に上る。すでに人工肉の市場は１２００億円程度まで拡大していると言われ、今後さらに急拡大すると見られている。

人工肉にもさまざまな種類があるが、いま最も一般的なのは、肉以外の素材から肉のような味わいや見かけを実現した「代替肉」だ。植物由来の原材料を使ったプラントベース製品からつくられるものがほとんどで、技術力を背景にしたスタートアップ企業が大きな注目を集めている。植物肉を使ったハンバーガー肉を全米で展開する、インポッシブル・フーズ社はその代表格と言われている。

同社は2011年に創業。アメリカ・カリフォルニア州レッドウッドシティに拠点を置き、企業価値は20億ドルに上ると見られている。創設者のパトリック・O・ブラウン氏は、生化学者でDNAの大量分析には欠かせないDNAマイクロアレイの開発者でもある。現在もスタンフォード大学名誉教授でハワード・ヒューズ医学研究所研究員も務めている。

同社で開発している代替肉は、大豆やココナッツオイルなどを原材料としている。その最大の特徴は「本物の肉」らしさの追求だ。生化学者がつくった企業らしく、肉を分子レベルで解析。「ヘム」という大豆の根粒に含まれるタンパク質を原料にすると、本物の肉に近づけることができると分析した。これを利用することで、本物の肉のような色や味をつくり出し、肉汁をも再現したのだ。主な原料が大豆のため、大量の穀物を必要とする牛肉よりも、水の使用量は87パーセント、温室効果ガスの排出量は89パーセント減らすことができるとしている。

アメリカのハンバーガーチェーン大手のバーガーキング社はこの会社の代替肉を採用し、全米でハンバーガーを販売。売れ行きは好調だという。さらに、外食チェーンやスーパーでの販路を築き、この代替肉を店頭に並べているスーパーは2020年の取材時点で約5000店に上っていた。

代替肉企業は世界中で次々と生まれており、2019年に約15億ドルの上場を果たしたアメリカのビヨンド・ミート社のほか、オランダのベジタリアンブッチャー社、香港のオムニミート社、台湾のベジファーム社などさまざまな企業がしのぎを削っている。日本でも大塚食品や日本ハムが参入するなど開発の動きは盛んになっており、２０２０年には日本のバーガーキング社がプラントベースのハンバーガーを発売を開始するなど、社会的に代替肉の認知度が高まり始めている。

さらに、もう一つの人工肉「培養肉」も開発競争が激しさを増している。培養肉とは組織工学や細胞工学の技術を使って試験管内で生産される肉のことで、動物の筋肉細胞を採取し、培養液の中で育てられる。こちらも環境への影響が少なく、新型コロナウイルスのような人獣共通感染症など公衆衛生上のリスクが減少するなど、さまざまな利点がある。

市場規模は２０３０年には２億７８１０万ドル（３００億円）に達すると、アナリストは予測している。

持続可能な農業へ——緑の革命からの脱却

土壌劣化や農地不足の問題を根底から見直そうとする、生産者側の改革の動きも加速している。２０５０年に向けて人口が急増するアフリカ。ここで、「不耕起栽培」と呼ばれる新たな農法を追求することが急務となり始めている。

かつてプランテーション農業で世界のカカオ生産を担ってきたガーナでは、この不耕起栽培がいち早く小規模農家のあいだで広がっている。中心となっているのはアメリカの大学院で学んだコフィ・ボア博士。帰国後、国の研究員となったが、その職を捨て、不耕起栽培農業センターを立ち上げた。

センターの広大な畑には、キャベツ、ニンジン、タマネギ、キャッサバ、バナナ、パパイアなどありとあらゆるものが豊かに実っていた。ガーナ国内に4か所の拠点があり、このセンターでは、毎月のように訪れる農家を集めてこの不耕起栽培についてのレクチャーを行っている。指導した農家はこれまでに数百人に及ぶという。

「土壌の力を活かす必要があります。そのためには農薬や化学肥料は重要ではありません」

この日もレクチャーでは、これまで緑の革命以来行ってきたものとは違う方法が伝えられていた。参加者たちが案内されたのは、うっそうと下草が生い茂った場所。畑とは思えないような場所だ。ボア博士は、参加者に鎌を横ではなく縦に振るって、下草の地上部分だけを刈り取るよう指示していた。種の植え付け前の作業はこれだけ。不耕起栽培では、その名のとおり、表面の豊かな土壌を守るために土地を深く耕さないのだ。

「機械をもっている人は使ってもいいでしょう。ただし、耕すのではなく、草をつぶすだけです」

博士がそう言うと、トラクターがやってきて地上の草だけをバリバリとつぶしていく。刈った葉や茎はそのまま放置し、そこに小さな穴を掘って種を植え付けるだけだ。

刈った葉や茎は植え付けた種の養分となるため、化学肥料は使わなくてよいうえ、手間もかからない。まさに一石二鳥、三鳥の方法だ。さらに、種を植えたあともその後、生えてくる下草をなるべく生やしたままにしておく。このことで、土から水が蒸発しにくくなり、水や栄養分が土の中に保全されるのだ。

ボア博士はねっとりと水を含む真っ黒な土をつかみ取ると、こう言った。

「地面が下草でカバーされているので、湿気が保たれるのです。土にはものすごく湿気があります」

不耕起栽培では、土壌本来の力を利用する。地表から数十センチのところに存在する細菌や微生物が豊富な土壌を守るのだ。さらにそのことで、空気中の二酸化炭素を蓄える力も温存され、温暖化対策にもつながる。

そして何よりこの栽培方法は、アフリカの農業従事者の大部分を占める小規模農家を助けることができる。化学肥料や農薬をほとんど使わずに済むため、コストがかからないだけでなく、草を刈る時間も減り、農家の負担も軽減されるからだ。

博士がこの道を目指したのは、ある過去の経験があった。

幼いころ、カカオ畑で生計を立てていた母親の農園が火事で全焼。一家は生計を失い、苦しい日々を送ったのだという。この火事の原因は当時、小規模農家が行っていた焼き畑農業の延焼だった。かつてガーナでは、カカオ生産にあたって乾燥しやすい土地に適した農法が普及していなかったため、大量の化学肥料を使う欧米式のプランテーションに依存していた。そして、そこで十分な収入が得られなくなった人々は、緑の革命と同様の効果を期待できるとして焼き畑農業に手を染めていた。その結果、森林は失われて土地の荒廃が進み、貧しさからも抜け出せなくなる悪循環が続いた。

しかし、ボア博士は、アメリカで農学を学ぶうち、緑の革命の方法によらずとも、アフリカの大地に合った農業があると確信するようになった。アフリカには大きなジャングルや森林があり、豊かな土壌をもつ地域もある。小規模農家が自分の手でその大地の力を引き出せるような農法を実践し、伝えたいと考えたのだ。

「アフリカの人々の大多数がとても小さな農家なのです。小規模農家を支援するシステムがなければ、生産量は非常に少なくなり、政府は食品を輸入しなければならなくなるのです。自分たちの土地で持続的に生産する方法がわかれば、飢えで苦しむこともないのです」

これまでにセンターで学んだ農家は、平均30パーセント以上の増産を達成。自給自足できる小規模農家が増え、農作物を市場に出すことが可能になった農家も数多いという。ホームページでも、小規模農家の数々の喜びの声を伝えており、農業による収入で子どもを学校に通わせることができるようになったり、地元の農家として成功して家を建てたりなど、さまざまな成功談が掲載されていた。センターでは、この方法で2年以内に小規模農家が25パーセントの利益向上も見込めるとしている。

こうしたなか、より大きな組織もこの不耕起栽培に着目し始めている。コートジボワールに本部があるアフリカ開発銀行は、不耕起栽培をアフリカ大陸全土に広げ、大地を守りながら食料を増産する道を模索し始めた。

試験的にスタートしたのは「サバンナにおけるアフリカ農業変革のための技術（TAAT-S）」と呼ばれるプロジェクトで、サバンナの土地の一部を、大豆、トウモロコシ、コメを栽培するための商業的に有効な不耕起の農地に変えることを目的としている。

土壌の劣化を防ぎ、生産性を上げる不耕起栽培は、環境再生型農業と呼ばれ、次世代の農業の主流となるとも言われている。国連は、温暖化を防ぎながら、食料を増産するためには、アフリカなど途上国で大部分を占めている小規模農家への環境再生型農業の普及がカギを握るとしている。

食品ロスはなくせるか――若者たちの挑戦

世界で3分の1が捨てられ、先進国や新興国で続く食品ロス。その膨大な浪費を飢餓の解決に活かそうと活動を始めた若者たちもいる。

アメリカの大学生が立ち上げたプロジェクト、ファームリンクだ。全米各地の150の大学の700人以上とネットワークを構築している。このプロジェクトは、新型コロナウイルスのパンデミック後に、各地で食料支援を求める長い列ができる一方で、大量の野菜や牛乳の廃棄が相次いでいるという報道を見た学生たちによって、始められたという。団体を立ち上げた一人、オーウェン・ドゥベックさんは次のように語った。

「多くの人が必要としているときに、同時に食料が無駄になっているのは納得がいかなかった。何かしないといけないと思ったのです」

廃棄されそうな食料に関する情報があると、現場に近いメンバーが即座に対応し、トラックなどを手配して回収し、食料が得られない人たちに配ってきた。これまでに回収できた食料は1万1000トン。アメリカの総人口の1日の食事の7パーセントに相当する膨大な量だ。

われわれが取材したとき、メンバーはキャンピングカーで全米を駆け巡り、交渉を続けていた。ナバホ族の先住民居留地が食料不足に陥っているため、そこに食料を届けるのだという。

ただし、課題も多い。余った農産物を抱える生産地と困った人が多い消費地をつなぐには、安価な輸送が必須だからだ。農家では通常、輸送コストより儲《もう》からないと判断すれば捨ててしまう。それを捨てずに消費者に届けるには、輸送の問題を解決しなくてはならないのだ。冷蔵車など特殊な車両が必要なことも多く、高コストになれば無償で配ることができなくなってしまう。

この団体では、安価なトラックを見つけては、中継しながら送り届けることで、解決しようとしている。しかし、通常のルートではないため、どこかに物資を運んだ帰り道に食料を積んでもらうよう依頼するなど、より細やかな交渉が必要で、見つけるのに手間がかかるという。オーウェンさんは、常に確認を怠らないでいないと届かないことがあると語った。

「取引が成立しない可能性があるので、できる限り多くのところに電話をしています。僕たちはまだまだ学ぶことばかりです」

長引くパンデミックのなか、このプロジェクトの重要性はますます増している。この活動を知った日本から寄付の申し出もあり、日本でも活動できないか検討を始めているという。

「僕たちはまず、アメリカの食料危機に取り組み、それを世界で通用するようにしたいのです。世界的な食料危機こそ本当の課題だからです」

日本でも広がる食品ロス削減の取り組み

そして、食品ロスの削減は日本でも喫緊の課題だ。「いま何が起きているのか」で紹介した、大量の食品廃棄物を受け入れている神奈川県相模原市のフードエコロジーセンターも、こうした食品ロス削減を目指して設立された企業の一つだ。

　ここでは、まだ食べられるのに捨てられ、焼却費を使ってただ食料を燃やしている現状を変えたいと、食品廃棄物を液状の豚の飼料へと変換し、契約農家に買ってもらうことでリサイクルの輪を広げようとしている。1日約42トンの液状の発酵飼料を製造して、主に関東近郊の15戸を超える契約養豚事業者に提供しているという。

　代表の髙橋巧一さんはその工程を教えてくれた。

「食品を投入して破砕機で破砕してドロドロの状態になったものを、ボイラーの熱を使って殺菌するんです。サルモネラだとか大腸菌だとか病原性の菌のリスクがありますので、熱することで、殺菌をしていくわけなんですね」

　単なるリサイクルではなく、農家のためにもなるよう、豚の飼育場の衛生面、栄養面も考えた製造を行っているという。そして養豚事業者と協力して付加価値のある豚肉を生産し、食品廃棄物を排出した事業者でブランド肉として販売するシステムをつくり上げた。まさに〝リサイクル・ループ〟を構築できたのだという。

　ただ、食品ロス問題全体を解決するのはまだ難しいと感じているという。なかでも最大の問題は消費者側が注ぐ食品に対する厳し過ぎる目線だという。

「うちにはまだ消費期限、賞味期限が切れていないものが大量に入ってきます。お店に置いてあると、お客さんから怒られちゃうわけです。それで（店側は）賞味期限が切れる前に（廃棄物として）

出してしまうのです」

髙橋さんによれば、消費者のあいだに、「賞味期限が切れても、味は落ちるが消費はできる状態である」ことが浸透していないのも食品ロスが減らない背景にあるという。

「24時間365日いつでも、ものが食べられる非常に恵まれた国になってしまったがゆえに、粗末にしてしまっているという気はしますよね。食べ物は私たち消費者からすると本当にいちばん身近なものなんですけれども、どうつくられているのかとか、どんなかたちで流通されているのかを意外と知らないんですよね。生産の難しさとか、流通の大変さとか、どんなことが行われているのかを知ることによって、食べ物は粗末にしてはいけないんだという意識につながると思うのです」

システムを変えるには何をすればいいのか

巨大な歪みを内包し続けながら、全世界に広がっている私たちの食料システム。ふだん手に取るその食も、そのシステムのおかげで手に入る。その複雑さは、農業のあり方、食のあり方、経済、国や地域、そして地球環境の問題につながっている。このシステムは、人々の欲望のままに巨大な格差を内包し、不安定さと脆弱性を孕《はら》みながら拡大してきた。

飽食と飢餓――そのあいだで生まれる文明を崩壊させるほどのインパクトをもつ食料システムの不安定さをわれわれはどう立て直していけるのか。

これほど複雑で巨大なシステムを前に、私たちは何もできないと思ってしまうかもしれない。

たとえば、食品ロス一つとっても、「先進国の問題」と思われがちだが、そう一筋縄ではいかない。地域や国によってまちまちの問題があるからである。途上国では貯蓄や冷蔵設備が整っていないとか、気候によっては腐りやすいので早めに捨てる慣習があるなど、異なる事情で食品ロスが発生してしまう。実際、食品ロスになる食品の割合を比較すると、途上国の方が多かったりする。こうした地域では、設備の拡充など別の施策が必要であり、先進国とは違う取り組みが求められるのだ。

しかし一方で、この問題は、私たちが日常的に行っているごく当たり前の「食べる」という行為を通じて、毎日関わり続けているものでもあるのだ。その根源的な歪みは、人々の意識に上ることなく、国、地域ごとに性格を少しずつ変えながら、多様な側面を私たちに見せている。

前述の髙橋さんも、世界の環境を破壊しながら膨大な無駄を出している食料システムの現状を、まず消費者が理解することが最も大事なのではないかと話した。

「もともと食品のリサイクルをやらなければいけないと思った理由は、途上国の自然環境を破壊してわれわれの食べ物にしてしまっているという危機感がいちばん大きいんです。一般の方々はなかなか知らないですけれども、いろいろなところで使われているパーム油のほとんどは、東南アジアの熱帯雨林を破壊してアフリカ原産のアブラヤシを植えてつくられ、私たちが享受しているのです。エビの養殖についても、マングローブという貴重な自然を破壊して安く手に入れている。そして輸入した食品の3分の1を廃棄している。そのことを知らないと、食品ロスの何が悪いのかみたいな話になってしまう。現状を知ることはすごく大切だと思うのです」

世界の人口が100億に達する2050年に、安定した食料システムは維持できるのか。

食料システムの問題は、世界の飢餓などの現状が日常の足元の食の問題につながっていることを理解する一人ひとりの叡智にかかっている。解決への厳しい道のりに思いを馳せながらも、それぞれの地域、国で、当事者として一人ひとりが巨大な歪みを是正する意思をもっていくこと――その決意をした先にしか、人類が持続的に繁栄する未来はないことを、この問題は示している。

第 3 部
プラスチック汚染の脅威

プラスチック片を「誤食」する海鳥。あるヒナの胃からは、
体重の1割を超える、112のプラスチック片が発見された
〈画像提供:Ian Hutton〈Lord Howe Island Nature Tours〉〉

いま何が起きているのか

大量消費社会の限界

三木健太郎（ＮＨＫ大型企画開発センター）

手元にある自分の持ち物を見てほしい。あたりを見渡してほしい。マンションに住んでいる人はごみ捨て場を見てきてほしい。ペットボトル、レジ袋、カップ麺、食材の包装、スマホケース、ビニール傘……ありとあらゆる日用品にプラスチックが使用されていること、そして、私たちがプラスチックに囲まれて生きていることに改めて気づくのではないだろうか。

日本では、１９６０年代以降に本格的な大量生産が開始されたプラスチックは、またたく間に人々の生活に浸透し、快適で豊かな暮らしをもたらしてきた。軽くて丈夫で輸送が容易。どのようなかたちにも加工できるうえに、安価。衛生面にも優れているため、注射器や薬のケース、医療用手袋への使用など、医療現場にも不可欠。プラスチックは20世紀を代表する〝夢の発明〟ともてはやされてきた。

石油由来のプラスチックは、１９５０年から２０１５年のあいだにおよそ83億トン製造され、その製造量はいまも増加傾向にある。２０１５年の推計値では、年間4億トンのプラスチックが使用さ

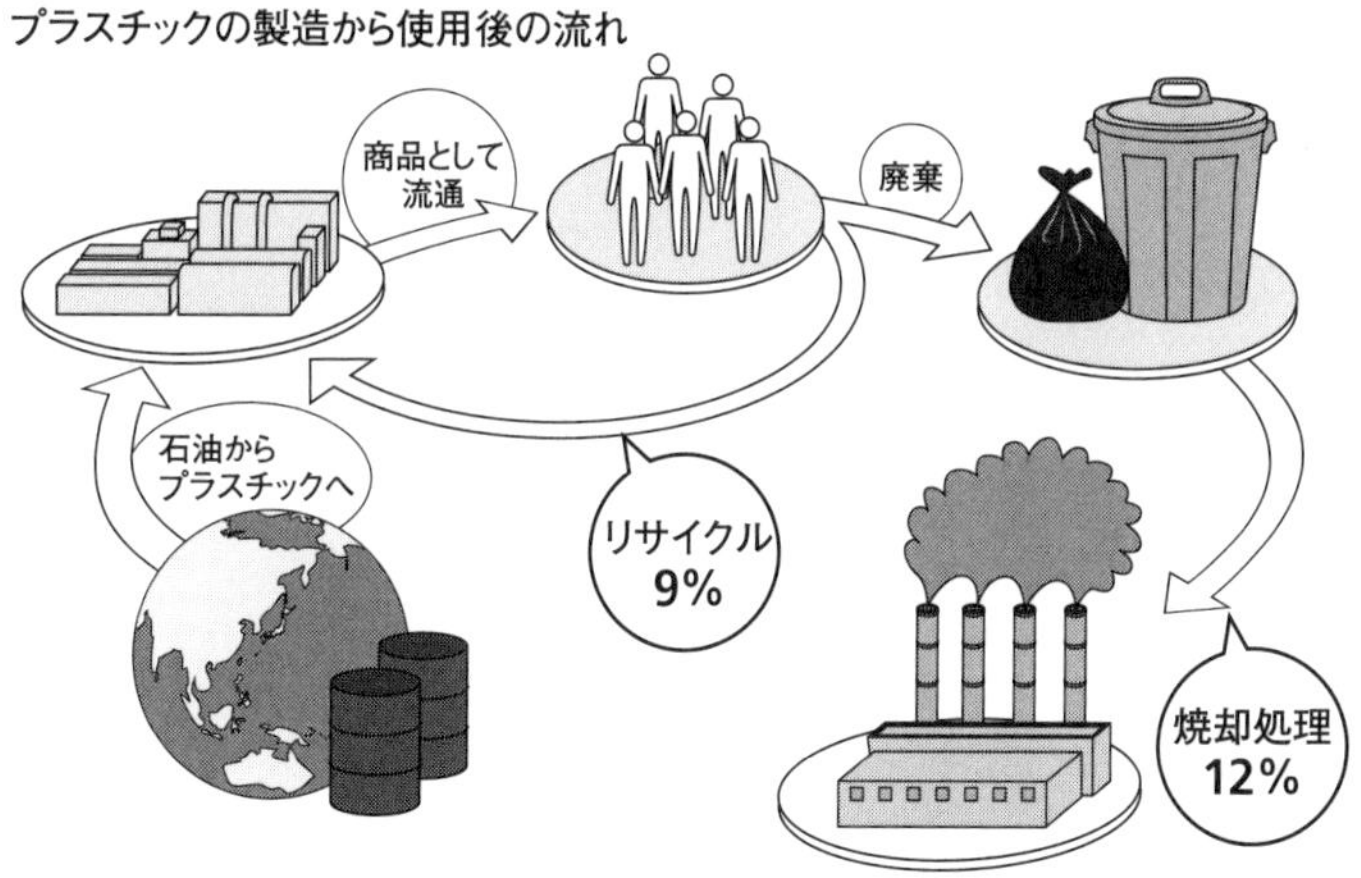

れたと考えられている。問題は、そのほとんどが〝使い捨て〟であること。リサイクルされるのは全体の9パーセント、焼却処理されるのは12パーセント。実は、廃棄されたプラスチックのおよそ8割は、ごみとしてそのまま地球上に積み上がっている。そして、その一部が海へと流出し続けているのだ。

カナダ・トロント大学のチェルシー・ロシュマン博士によれば、2020年に川や海へ流出したプラスチックごみは、世界全体で年間3000万トンと推計される。一人当たり年間約4キロのプラスチックごみを海に捨てていることになる。このまま、対策を講じなければ、2030年には最大で年間9000万トンへと増加。2050年には海に浮かぶプラスチックの量が魚の量を超えるという試算もある。いまや、私たちの地球は〝プラスチックアース〟と化しているのだ。

プラスチックごみが増え、適切な処理ができないと、どういうデメリットがあるのだろうか。たとえば、プラスチックの生物や人体への影響については、ここ10

年で研究が盛んになり始めたばかりで、現時点では、リスクは未知数である。

「直接、食べるわけじゃないし、大丈夫でしょ？」

「万が一、体内に入っても消化されずに排泄されるから平気でしょ？」

懐疑的な人が多いことも事実だ。しかし、「リスクが不確かだから、対策しない」というわけにはいかない。気づけば手遅れという状況に追い込まれるかもしれないのだから。

「予防原則」という言葉をご存じだろうか。環境問題に使われる用語で、たとえばある化学物質と人や環境に与える影響との因果関係が解明されなくても、つまり十分にリスクが証明されなくても、対策を先延ばしにしないという考え方を指す。

われわれは、この予防原則に則《のっと》り、プラスチック汚染が表出している現場や、研究の最前線を取材した。そして、「脱プラスチック」を目指し日々活動を続ける若者たちのもとに足を運んだ。

あなたの知らない、プラスチックごみの行方

燃えさかる炎、鼻をつく煙の臭い、必死に消火活動にあたる消防隊。火元となったのは、山積みされていたプラスチックごみだ。何者かが放火したことで燃え広がったと見られている。

火災が発生したのは、マレーシアのスンガイプタニ。40万の人が暮らす、マレーシア北部西岸に位置するケダ州最大の街だ。２０１９年ごろから次々とリサイクル工場が建てられており、火災はそのうちの一つの敷地内で起きた。

実は、マレーシアをはじめ東南アジア諸国は、先進国が自国内で処理しきれないプラスチックごみの受け入れ先となっている。かつては、世界のプラスチックごみのおよそ50パーセントを中国が受け入れていたが、環境悪化を理由に2018年に受け入れを禁止。行き場を失ったプラスチックごみが東南アジアに流れ込むことになった。マレーシアは世界有数のプラスチックごみの〝輸入国〟なのである。

この地区では、リサイクル工場などでの火災が2年間で20件以上も発生する異常事態となっていた。まともにリサイクルしていたらコストが合わないとの理由で、業者が自ら火災を起こしているのではないかと指摘する声もある。

火災の被害を受けるのは、住民だ。地元で診療所を開く医師ティオー・シェン・ジェン氏は、プラスチック火災の実態調査や抗議活動の先頭に立ってきた人物である。ティオー氏によれば、2019年の3月ごろから、肺の病気を患う人や、気管支炎、せきなどの症状を訴える患者が頻繁に訪れるようになったという。その数は、以前と比較しておよそ15パーセントの増加。ティオー氏は、プラスチック火災により、大気中に飛散した化学物質を吸い込んだことが原因ではないかと考えている。

われわれが取材した日も、5歳の娘の健康被害を訴える母親が診療所を訪ねてきた。

「学校に行って5分も経《た》たないうちに、目が赤くなり、鼻血も出ます」

4回も入退院を繰り返した少女。その症状から、プラスチック火災の煙によるアレルギーと診断された。

インターポール（国際刑事警察機構）によると、プラスチックごみへの放火はマレーシアに限らず、少なくとも12か国で急増。こうした事態を防ごうと、2021年1月にバーゼル条約[★1]が改定され、相手国の同意なくプラスチックごみを輸出することは禁止された。自国で出したプラスチックごみは自国で処理するというのが、現在のプラスチックごみを取り巻く基本的なルールなのだ。

マレーシアでは、ティオー氏らが中心となってリサイクル業者への抗議や、当局への取り締まりの要請を続けた結果、火災の発生頻度が一時期よりは減少傾向にあるという。それでも規制の網目をくぐり抜ける業者は後を絶たず、人目につかないところに大量に投棄されるケースも増えている。

近隣の林を分け入って川のほとりへ進むと、粉々に砕かれたプラスチックごみが積み上がっていた。遠目には、砂の山のように見える。その高さはなんと10メートル。元のかたちが残った包装容器を手に取ると、英語、イタリア語、フランス語、ドイツ語などが印刷されており、海外から運ばれてきたことが見て取れた。なかには日本語の書かれたごみもあった。

日本も毎年およそ100万トンのプラスチックごみを輸出している。輸出の手続きは合法的だったとしても、その後、外国できちんと処理されたかを、完全にチェックすることはできない。私たちが分別して適切に捨てたはずのごみが、地球のどこかで悪影響を及ぼしている可能性がある。大量生産・大量消費社会のしわ寄せが、こうした場所で起きているのだ。

ティオー氏は訴える。

「マレーシアは外国のごみ捨て場になってしまいました。自分たちのごみは自国で処理するべきであり、マレーシアにもち込んでほしくはありません」

★1　1989年、スイスのバーゼルにおいて、有害廃棄物の国境を越える移動について国際的な枠組みや手続きを規定するために締結された。日本は1993年に締結している(2021年7月時点で、188の国と地域が締結)。同条約が誕生した背景として、1980年代に、ヨーロッパ先進国によるアフリカ発展途上国への廃棄物持ち込みが深刻化し、環境汚染などの問題が生じたことが挙げられる。

ごみは循環する

プラスチックごみの処理は遠く離れた東南アジアの問題だと、看過することはできない。放置されたプラスチックごみは風によって飛ばされ、雨によって川へ流れ、やがて海へとたどり着く。ひとたび海へ流出したプラスチックごみは、海流に乗り、地球全体へ拡散する。実際に取材したマレーシアのごみ山も、川や水路の近くなど、大雨が降れば簡単に溢れ出す場所にあった。

処分したはずのごみが回り回って、結局、私たちの身近な海や浜辺へ戻ってくる——そんな悪循環が起きている可能性が見えてきた。地球が抱えきれなくなったプラスチックごみが、世界の海を回遊するのだ。

長崎県対馬《つしま》市。海流の影響で東アジア各国から、大量のプラスチックごみが漂着する。その海岸には、日本一、海洋プラスチックごみが流れ着くとも言われている。地元の人が誇りにしていた美しい浜辺の景観はここ15年ほどで汚され、様変わりしてしまった。

長年、地元でごみの回収や調査を続けている環境団体・対馬CAPPAが対馬市より受託した調査の報告書によると、2018年度のごみの漂着量は5万8000立方メートル、5年前と比べておよそ3倍に増加。近年、島外から受け入れている旅行客や学生のボランティアが回収作業を繰り返しても追いつかないという状況に追い込まれている。

対馬CAPPAで理事を務める末永通尚《すえながみちなお》氏に話を聞いた。長年、環境保全活動に携わり、海洋プラスチックごみと向き合ってきた彼の言葉は、この問題の本質を突くものだった。

「対馬には、韓国や中国からのごみが流れ着いています。そして、私たち日本のごみは太平洋上のハワイなどに流れ着いているのです。誰もが被害者であり、誰もが加害者である問題だと思います」

もちろん、まずは自分も加害者なのだと自覚することから始めなければならないだろう。しかし根底にあるのは、処理しきれないほどのプラスチックごみを生み出す、社会構造のあり方そのものなのだ。

プラスチックを「誤食」する生き物たち

ストローが鼻に刺さったウミガメ、漁網に絡まったアザラシ……痛々しい写真や映像を見たことがある人も少なくないのではないだろうか。いま世界中で、海へ溢れ出たプラスチックごみの被害を受ける生き物の報告が相次いでいる。

海洋プラスチックごみが生態系に及ぼす影響は、漁網が生き物に絡まることの他にも、海底やサンゴに覆い被さること、外来種や病原菌を運んでしまうことなどさまざま挙げられる。なかでも、最大の問題とされるのが、餌と間違えて食べてしまう「誤食」だ。１９７０年代から報告されてきた海洋生物によるプラスチックの摂食は年々増加の一途をたどり、２０２０年時点で、海鳥１８０種、魚４２７種を数える。

２０１８年5月、タイの運河で衰弱したオスのゴンドウクジラが発見された。民間のクジラ保護団体と獣医師が救助に当たるあいだ、このクジラは5枚のレジ袋を吐き出したという。容体を安定させようとしたものの、5日後に死んだ。解剖すると、胃の中に80枚ものレジ袋が見つかった。レジ袋が胃に詰まったことで、餌を食べられなくなり、餓死したのではないかと見られている。

翌19年には、東地中海やギリシャ周辺の海域で座礁したクジラやイルカの死骸についての解析結果をまとめた論文が発表された。解剖した34頭中、9頭の体内からプラスチックが見つかり、そのうち3頭は、胃や消化管にプラスチックが詰まり死に至ったと結論付けられた。

プラスチックを誤食している事例は、日本でも起きている。海洋ほ乳類の調査を専門とする、国立科学博物館研究主幹の田島木綿子《たじまゆうこ》氏。打ち上げられたクジラやイルカの死因を確認するため、年に60頭を解剖する。最近、田島氏は、日本近海のクジラやイルカにもプラスチックごみの影響が出始めていることを実感するようになったという。

頻繁に目にするのは、レジ袋の切れ端、コーヒーミルクやガムシロップの容器、子どもたちが食べるゼリーの容器、農作業用の種苗ポットなど、生活に身近なプラスチック製品だ。特に田島氏の記憶に残っているのが、２０１８年8月、生後半年ほどのシロナガスクジラの赤ちゃんが神奈川県鎌倉市由比ガ浜《ゆいがはま》に打ち上がったという事例である。胃から、３センチ四方のレジ袋の切れ端が見つかった。

「お母さんのお乳しか飲んでない小さい赤ちゃんの体内にすら、プラスチックが入っていたことが衝撃でした」

赤ちゃんクジラが泳いでいるあいだに誤食するほど、プラスチックごみは海の中を浮遊している——死因とは直接の関係はないと見られたものの、田島氏が海洋プラスチックごみへの危機感を強めるきっかけとなった。

「生物は必ず死にますので、それが自然の摂理によるものだったら受け入れるしかないのですが、人間社会の影響によって死んでいる個体をかなりの頻度で見ます。彼らは私たちと同じ言語を話すわけではないので、彼らが伝えようとしていることを可能な限りくみ取っていきたいと思っています」

海鳥の繁殖への懸念

生き物の体内に蓄積するプラスチックは、胃や消化管に詰まるなどの物理的なダメージだけでなく、繁殖にまで悪影響を及ぼす可能性が最新研究によって浮かび上がってきた。

研究の舞台は、オーストラリアとニュージーランドのあいだに位置する、ロード・ハウ島。緑豊かな自然と透明度の高い海が広がる全長約10キロのこの小さな島は、１９８２年に世界自然遺産にも選ばれた、人気の観光スポットでもある。住民は約３８０人、島への訪問者は常時４００人に制限。自然環境保護のため、人間活動の生態系への影響を最小限にとどめている。

ところが、浜辺を訪れ海面に目を向けると、海流の影響で流れ着いた世界中のプラスチックごみが散乱していた。そしてこのプラスチック汚染が、島で子育てをする海鳥アカアシミズナギドリの繁殖に影響しているのだという。

この事実を突き止めたのは、オーストラリア・タスマニア大学の海洋環境毒性学者、ジェニファー・レイバース氏だ。死んだアカアシミズナギドリのヒナたちの胃を調べたところ、プラスチック片がぎっしり詰まっている個体が続出。最大で１羽当たり２７６個、体重の15パーセントをプラスチック片が占めていた（体重60キロの人で9キロに相当）。

これは、親鳥が海に浮かぶプラスチック片をイカや魚などの餌と勘違いし、ヒナに与え続けてしまった結果だ。15年にわたる継続調査によれば、９割以上のヒナがプラスチック片を胃に溜め込んでおり、成長阻害や餓死など、その生存率に深刻な影響を与えているという。

そして、53羽のヒナの血液成分を分析した結果、プラスチックの摂取量が多いほど、血液中のカルシウム濃度が低いという事実も明らかになった。たとえヒナが成鳥になるまで生き残れたとしても、血液中のカルシウム濃度が低いと、卵の殻が薄くなり、孵《ふ》化率の低下や個体数の減少を招くことが懸念されている。

かつてアメリカの生物学者レイチェル・カーソンは、ベストセラー『沈黙の春』（1962年、邦訳74年）において、農薬に使用されていた化学物質の危険性を告発した。当時、害虫問題の解決策として、大量に使用されていた農薬DDT。無味無臭なこともあって、その影響を誰も気に留めなかった。カーソンが特に問題視したのは、生き物の体内にDDTの成分が蓄積することで、毒性が出現し、その個体や生態系に危険をもたらすことだった。

翼を広げると2メートルにもなり、北アメリカの〝空の王者〟とも言われるハクトウワシ。化学物質が蓄積された魚を餌としていたことで、卵の殻が薄くなり、孵化する前に割れてしまうケースが続出、絶滅の危機に追い込まれた。

レイバース氏は、プラスチック汚染によってさらに深刻な事態が生じるのではないかと危機感を募らせている。

「私たちはいま、多くの種類の海鳥を急速に失っています。彼らは非常に重要なメッセージを伝えています。それに耳を傾けるかどうかは、私たち次第です」

その昔、炭鉱で働く人たちは、カナリアをかごに入れて坑道にもち込んだという。坑道内で有毒ガスが発生したとき、カナリアは人間より早くそれを察知し鳴き止むからだ。現在、私たちに求められているのは、アカアシミズナギドリの事例を〝炭鉱のカナリア〟による警鐘と受け止めることではないだろうか。

北極で発見されたマイクロプラスチック

生き物の体に入り込んだプラスチックは、いつかは分解されて消えるのだろうか。

残念ながら答えはノーだ。

極めて丈夫で腐敗しないプラスチックは、生き物の体内ではほとんど分解されない。どれほどの時間をかければプラスチックが分解されるかという問いに対し、現在の科学は答えが出せていない。数百年、数千年後の未来人が、地層から〝プラスチックの化石〟を発見するのではと指摘する科学者がいるほど、この化学物質は丈夫につくられている。

しかし、〝ほどよく砕ける〟ことはわかっている。それがプラスチックの厄介な点だ。プラスチックは太陽の紫外線にさらされ、熱が加わり、次第にボロボロになっていく。世界中の海岸や海の上で、ひび割れたプラスチックの隙間に海水が入り込む。そして、極めて小さく砕けていく。それが、マイクロプラスチックだ。ここ数年で見聞きする機会が増えた言葉ではないだろうか。

2008年に開催された、NOAA（アメリカ海洋大気庁）が主催する国際ワークショップで、マイクロプラスチックの定義は「5ミリ以下」と決定された。マイクロプラスチックは、海や浜辺で砕けたものだけではない。化粧品や洗顔料に混ぜられていた球型のマイクロビーズ（現在は使用を控える企業が増えている）、ナイロン製の洋服に使われる化学繊維、抜け落ちた人工芝、発泡スチロールのかけらなども含まれる。

このマイクロプラスチックは、世界の海にどれほど広がっているのか。

いま、世界中の研究者たちがその実態の把握に挑んでいる。ドイツのアルフレッド・ウェゲナー極地海洋研究所の研究チームもその一つだ。２０１４年から２０１５年にかけて北極海の調査航海を実施。海氷から円柱状の塊を抜き取り、その中のマイクロプラスチックの含有量の調査を行った。結果、人間の生活圏から遠く離れた北極の海にまでマイクロプラスチック汚染が広がっている事実が判明した。レジ袋や食品包装、船の塗料、漁網、合成繊維のナイロンやポリエステル、たばこのフィルターが砕けたもの……それは人間の暮らしから生み出された多様なマイクロプラスチックだった。

その濃度は最大で、海氷1リットル中にマイクロプラスチック1万２０００個。海流に乗ってさまざまなエリアから集まっていることもわかり、海氷がマイクロプラスチックの巨大な貯蔵庫となっているという憂慮すべき事態が浮かび上がってきた。

研究チームのイルカ・ピーケン氏は、温暖化によって海氷の融解が進めば、重大な汚染源となると警告している。

「海氷は一時的なプラスチックの貯蔵庫であって、永遠に蓄積されているわけではありません。いま、気候変動が加速し、溶け出す速度が早まっています。それこそ、私たちが危惧しなければならない問題だと思います」

マイクロプラスチック20万粒の分析結果

地球の隅々にまで広がっているマイクロプラスチック。その真の脅威は〝小ささ〟である。大型のプラスチックごみでは、誤食する生物のサイズは大きく、種類も限定的だ。一方、5ミリ以下というマイクロプラスチックは、食物連鎖の底辺を支える動物プランクトン、カニやエビなどの甲殻類、貝類、稚魚なども摂取する可能性がある。生態系全体を大きく揺るがしてしまうのではないか――大型のプラスチックごみとは異なるリスクがあると、研究者たちは強い警戒感を抱いている。

では、どれほどマイクロプラスチックが体内に蓄積すると、生き物の体に異常が出るのか。2010年以降、マイクロプラスチックの影響評価のため、世界中で急速に増えた実験がある。生き物にマイクロプラスチックを餌の代わりに与え続け、その影響を調べるというものだ。

この実験に注目したのが、九州大学教授の磯辺《いそべ》篤彦《あつひこ》氏である。磯辺氏は、プランクトンや貝類、魚類にマイクロプラスチックを与えた36の研究を分析し、閾値（魚介類に悪影響が出る値）を導き出した。その値は、「1立方メートル中1000ミリグラム以上」。この数値を超える量のプラスチックを摂取し続けると、体は大きく成長できず、遊泳能力も落ち、繁殖能力も低下するといった悪影響が出るというのだ。

実際の海でこの濃度に達しているところがあるのか、調査に乗り出した磯辺氏の研究チームは、太平洋から南極まで縦断し、およそ600地点からサンプルを回収。7年間で20万粒という膨大な

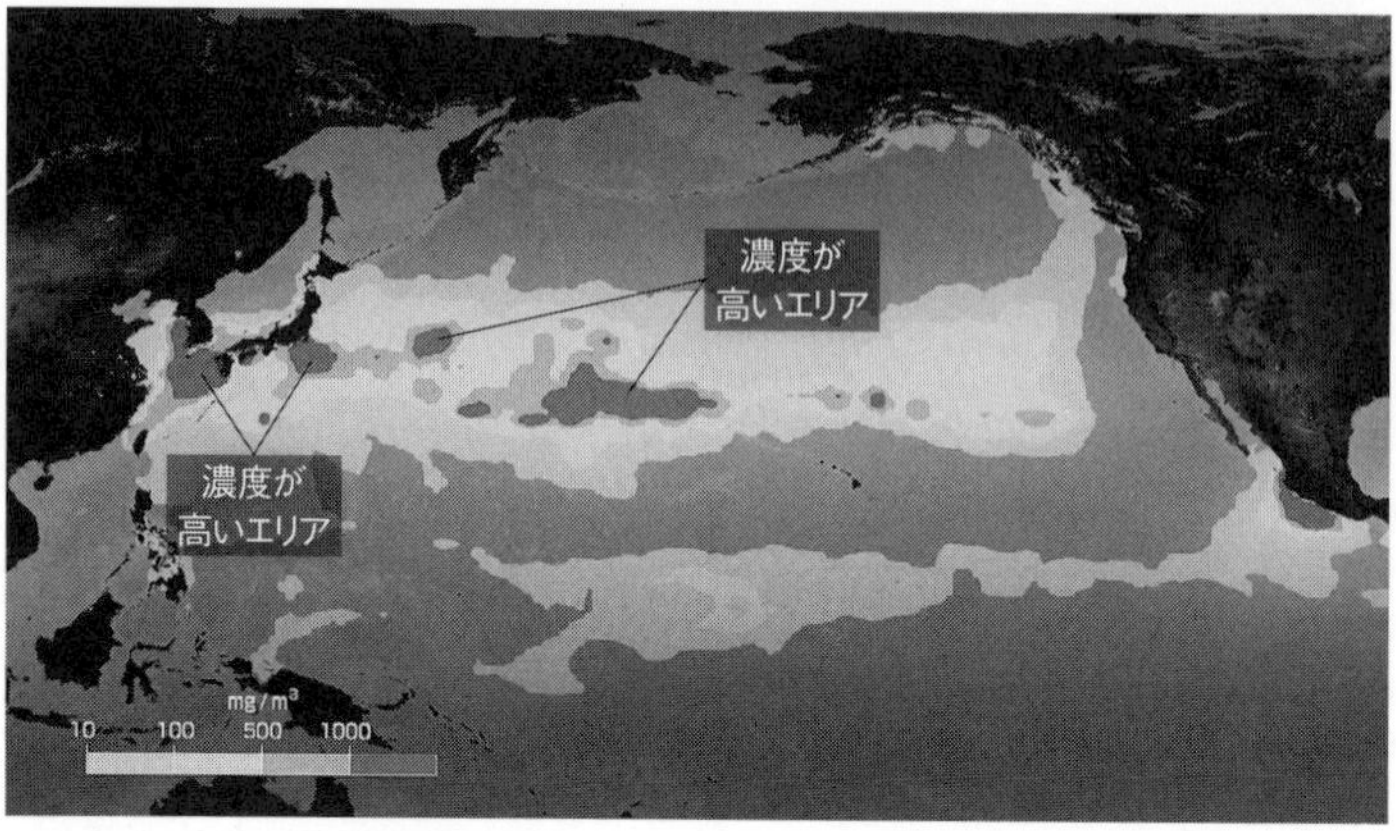

マイクロプラスチック濃度分布のシミュレーション。画像は2050年の濃度を予測したもの（画像提供／九州大学・磯辺篤彦教授）

数のマイクロプラスチックを分析し、そのデータを基に海洋中のマイクロプラスチック濃度分布をシミュレーションした。

その結果は実に衝撃的なものだった。海洋ごみが集まりやすいと言われる、太平洋中心部の通称「太平洋ゴミベルト」や、東京湾沖や九州の南西部など日本近海の一部海域で、魚介類に悪影響が出るとされる濃度に、季節によっては現時点で達している可能性のあるエリアが見つかったのだ。

さらに、現在のペースで人類がプラスチックの使用を続けた場合、魚介類に悪影響を及ぼすとされる場所が、２０５０年には3・2倍に拡大。しかも、そこは海流の影響により魚介類が特に集まりやすいエリアと重なるのだという。

磯辺氏は、それらのエリアで生態系が先細っていくリスクを指摘する。

「特に小さな生き物から先に摂食障害を起こして体長が大きくならなくなったり、子どもをつくらなくなるなどの生殖障害が起きたり、炎症を起こして体が傷ついていったりと、生態系そのものがだんだん縮んでいくことが予想されます。海洋生物が貧弱になることは、それを食べる海鳥や海生ほ乳類をはじめとして、地球全体の生態系そのものにも波及していきます。本来獲れるべき量の魚が獲れなくなるとか、あるべきサイズよりも小さな生き物しか獲れなくなるということも考えられます」

人体にも迫るマイクロプラスチックの脅威

マイクロプラスチックは、人体にもリスクがあると警鐘を鳴らす人がいる。環境中の化学汚染物質について20年以上にわたって研究を続ける、東京農工大学教授の高田《たかだ》秀重《ひでしげ》氏だ。

高田氏が注目するのが、プラスチックに含まれる、「添加剤」と呼ばれる化学物質である。石油由来のプラスチックはその生産過程において、燃えにくくするための難燃《なんねん》剤、変形しやすくするための可塑《かそ》剤、劣化を防ぐための紫外線吸収剤、酸化防止剤など多くの添加剤が配合される。さまざまな化学物質が混ざり合ったプラスチックは言ってみれば、〝化学物質のカクテル〟なのだ。添加剤の中にはもちろん、人体に有害な化学物質もあるため、その影響評価が国際的に急務とされている。

高田氏は、食物連鎖を通じて、人体に添加剤が蓄積するリスクに着目した。人間が摂食によってプラスチックを体内に取り込む可能性についてはこれまでも調べられてきたが、添加剤が魚介類等に蓄積し、食事を通じて人体に侵入するというルートはこれまでノーマークだったからだ。

高田氏は、北海道大学厚岸《あっけし》臨海実験所の教授、仲岡雅裕《なかおかまさひろ》氏と大学院生の長谷川貴章《はせがわたかあき》氏の研究チームと共同で次のような実験を行った。

1　北海道の厚岸湾からアミ（動物プランクトン）を採取し水槽で飼う。
2　その水槽に紫外線吸収剤と難燃剤が練り込まれた50マイクロメートル（1マイクロメートル＝1000分の1ミリ）ほどの微細なマイクロプラスチックを与える。
3　アミはマイクロプラスチックを餌と一緒に食べる。この水槽で24時間過ごしたアミを、厚岸湾の浅い海底に棲《す》むシモフリカジカ（以下、カジカ）という魚のいる水槽に移す。

カジカは、水槽にやってきた好物のアミを待ってましたとばかりに捕食する。高田氏の研究室で研究員が、このカジカの身と臓器を精密に分析したところ、すべての個体から紫外線吸収剤と難燃剤が検出された。マイクロプラスチックに含まれていた添加剤が、餌として食べたアミを介して体内に溶け出し蓄積されていたのだ。

明らかになったのはそれだけではない。比較をするため、アミに与えたのと同量のマイクロプラスチックが溶け込んだ水槽で飼ったカジカも分析。その結果、マイクロプラスチック入りの水槽で過ごしたカジカより、アミの補食を通じてマイクロプラスチックを取り込んだカジカの方が、身に10倍ほど多く難燃剤が蓄積されたのだ。

難燃剤と食物連鎖

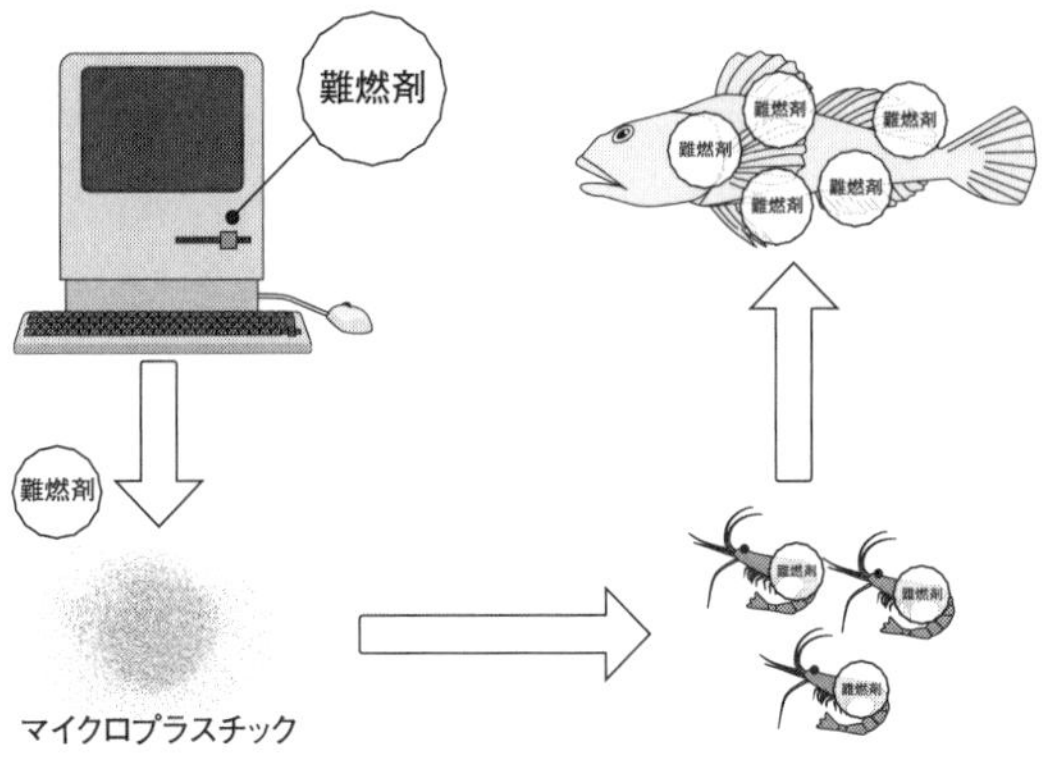

マイクロプラスチックには、海中を漂う有害な化学物質を吸着するという性質がある。この吸着した化学物質と、そもそも含まれる添加物が生物の体内に運び込まれる。

高田氏はマイクロプラスチックのもつ、こうした危険性について次のように説明した。

「生物の体内に入っていったマイクロプラスチックから、有害な化学物質が溶け出してくるのです。そして、その生物を中から攻撃します。いわば〝運び屋〟ですね。〝トロイの木馬〟と呼ぶ人もいます」

実験で用いられた難燃剤は、電化製品やパソコンなどのケースを燃えにくくするために使われている。しかし、動物実験で脳神経の発達を阻害するという報告が複数出てきたこともあり、その一部は、２０１０年から[★2]ストックホルム条約で段階的に使用・製造が禁止されてきた。

２０１７年に禁止された、[★3]難燃剤のデカブロモジフェニルエーテルについては、ヒトの母乳中の蓄積量と、「２〜18ヶ月児の低精神発達」が相関することも明らかになっている。また、プラスチックが使われた、多くの日用品に含まれる紫外線吸収剤についても、その毒性からヨーロッパでは使用が制限されており、ストックホルム条約での規制についても議論が始まりつつある。

人体への悪影響が知られている添加剤が、食物連鎖を通じてヒトに影響を及ぼす可能性がある。高田氏らの研究によって、これまで想定されていなかった化学物質の侵入ルートが明らかになったのだ。

★2 環境中での残留性や、生物蓄積性、人や生物への毒性が高い、残留性有機汚染物質の取り扱いについての条約。製造および使用の禁止・制限、排出の削減、廃棄物等の適正処理などを規定している。2001年に採択され、日本は翌02年に加盟。

★3 中央環境審議会「残留性有機汚染物質に関するストックホルム条約の附属書改正に係る化学物質の審査及び製造等の規制に関する法律に基づく追加措置について（第一次答申）」（平成29年8月1日）より。

大気を浮遊するマイクロプラスチック

2021年1月、取材班は〝九州の屋根〟と呼ばれる、大分県・くじゅう連山の山中にいた。標高1791メートル。氷点下の中、重たい機材を担ぎながら、雪の降り積もった尾根を一歩一歩踏みしめる。PM2・5をはじめ、長年、大気汚染の研究を行ってきた福岡工業大学の永淵修《ながふちおさむ》氏の、

「大気中のマイクロプラスチック」の調査に同行するためだ。

永淵氏が注目するのは、高山にできる「樹氷」だ。樹氷とは、大気中の水滴が樹木に衝突して着氷し、成長したもののことを指す。目的地点に到着すると、樹氷をまとった木々が広がっていた。澄んだ空気のなか、太陽に照らされ美しく輝く樹氷。この中にマイクロプラスチックが含まれているという。

しかしなぜ、永淵氏は高山でマイクロプラスチックを探すのか。

2019年、フランス南部ピレネー山脈に降った雨や、北極の雪中から、マイクロプラスチックが発見された。人間活動の少ない遠隔地でも都市部と同程度のマイクロプラスチックが存在することが明らかになってきているのだ。また、標高1000メートル以上の山岳地帯には、「自由対流圏」と呼ばれる地球を循環する風が吹いており、永淵氏によれば、この風によって都市部から〝長距離輸送〟されてきたマイクロプラスチックが、樹氷に封じ込められている可能性が高いのだという。

採取した樹氷は、研究室にもち帰って溶かし、ろ紙の上にこし取る。すると、極小の黒いつぶつぶが見えてくる。肉眼で確認できるのは、これが限界だ。顕微鏡で観察すると、黄砂などのチリが無数に浮かび上がる。その中に、〝プラスチックの粒子〟も存在した。サイズは70マイクロメートル。スギの花粉ほどの大きさである。赤外線を当ててプラスチックの成分を表す波形を示した粒子や繊維状のものを数え上げ、全体数を推計。結果、1リットル当たり5000～1万個のプラスチックが存在することがわかった。これは永淵氏にとっても想像以上の濃度だった。

大分県・くじゅう連山山中の樹氷。研究室にもち帰り分析を行う

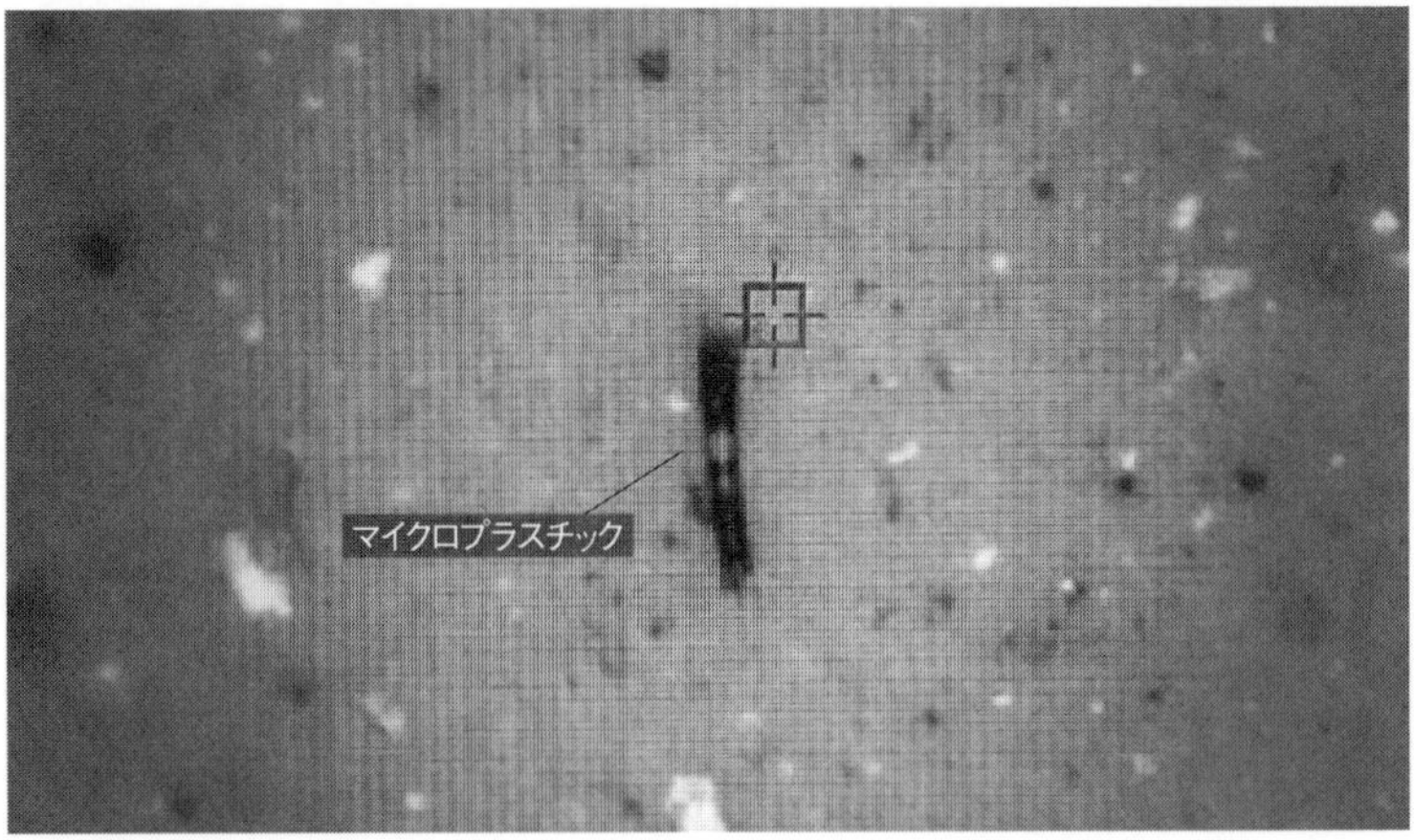

樹氷の中に存在していたのは、長さ70マイクロメートルのマイクロプラスチック
（画像提供／福岡工業大学・永淵修博士）

このマイクロプラスチックは、どこから運ばれてきたのか。永淵氏は気象データを解析し、風の流れを5日間さかのぼってシミュレーションした。すると、くじゅう連山で樹氷となった気塊《きかい》（空気の塊）は、5000キロ離れたシベリア方面で生まれたことがわかった。大分までの通り道には、北京や天津など中国の大都市が存在する。中国の工業地帯がマイクロプラスチックの発生源ではないかと永淵氏は考えている。

大気中のマイクロプラスチック汚染に関する研究の数は、海洋中のマイクロプラスチックに比べ100分の1ほど。緒《しょ》に就いたばかりだ。しかし、花粉のように直接、人が吸い込むリスクが高いため、その健康への影響の解明は急務と考えられている。

永淵氏もその研究をスタートさせたという。

「確実に吸い込んでいるはずです。プラスチックには寿命がありません。分解されずに、何百年もふわふわと地球上を漂うでしょう。小さくなったプラスチックが呼吸の際に体内に入ってきて、血中に侵入し臓器に回っていく可能性がある。そこでどういう悪さをするか、まったくわかっていないので探る必要があります」

ナノサイズのプラスチック

大きさが5ミリ以下のマイクロプラスチック。海面をネットですくえば採取でき、海岸や河口の砂にもたくさん混ざっている。しかし、永淵氏への取材で、粒子とも言うべきサイズのプラスチッ

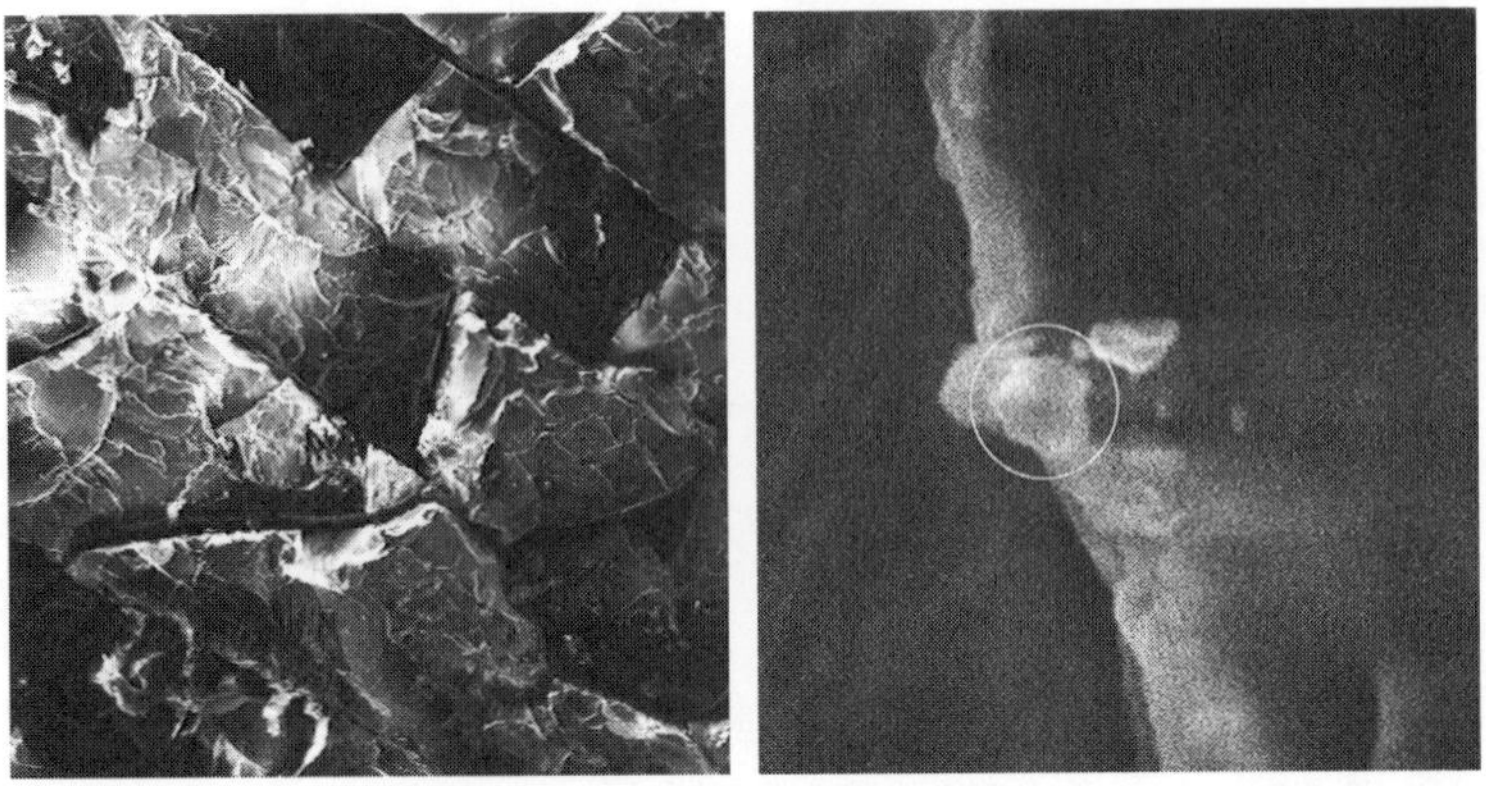

ひびが入っているマイクロプラスチック(左)／マイクロプラスチックからナノプラスチックが生まれる(右)(画像提供／長崎大学・中谷久之教授)

クが確認された。果たして、これより小さく砕けたプラスチックは存在しないのか。

今回、われわれは高分子化学が専門の長崎大学教授の中谷久之《なかたにひさゆき》氏に協力を要請し、対馬の海岸や東京の荒川河川敷で採取したマイクロプラスチックの分析を行った。電子顕微鏡を用い、詳細に分析した結果、表面に無数の〝ひび〟と、1マイクロメートル以下、つまり、ナノの領域の突起が存在することがわかった。

1マイクロメートル以下のプラスチックは、ナノプラスチックとも呼ばれ、こうした突起がはがれ落ちたものだと考えられる。中谷氏は、太陽光や微生物によってマイクロプラスチックが劣化してひびが入り、そのひびに海水や水が入ることで粒子がはがれるのではないかと推察している。まるで削り節のように、1枚、2枚とはがれ落ちるイメージである。砂粒ほどのマイクロプラスチックはそれ自身が脅威であると同時に、〝製造機〟として、さらに小さいナノプラスチックを絶え間なく生み出しているというリスクが浮かび上がった。

ナノプラスチックはあまりに小さいため、川や海などの環境中で検出することが難しく、その実態がよくわかっていないのが現状だ。これまで主流とされてきた調査方法では、船の上から「ニューストンネット」と呼ばれる専用の網を引いてプラスチックを回収するのだが、網目の直径が300マイクロメートルなので、ナノプラスチックは網の目からすり抜けてしまう。

この問題の解決に取り組んでいるのが、京都大学准教授の田中周平《たなかしゅうへい》氏である。世界に先駆け、ナノプラスチックを海や川の水から、効率よく見つけ出す方法を開発した。

大阪湾や琵琶湖水系へ出向き、穴がほとんど空いていない既製品のシートを活用し、環境中の水を採取。研究室で泥や藻、プランクトンなど、プラスチック以外のものを化学的に除去すると、無色透明になった液体が姿を現す。その液体をプレパラートに1滴乗せ、「赤外イメージングシステム」という医薬品の解析にも使われる最新鋭の機械で分析すると、星屑《ほしくず》のような無数の点が見えてくる。これが、ナノプラスチックだ。サイズは800ナノメートル（1ナノメートル＝100万分の1ミリ）。サルモネラ菌などの細菌と同じ大きさである。

環境中ではその存在が明らかになっていなかったナノプラスチックが、川の水のサンプルからはじめて発見された。現在の測定技術で把握できているプラスチックの存在は氷山の一角とされており、残りの大部分のことを「ミッシングプラスチック」と呼ぶ。

田中氏は、実際には測定できていない膨大なナノプラスチックが海や川を漂い続けている可能性を指摘する。

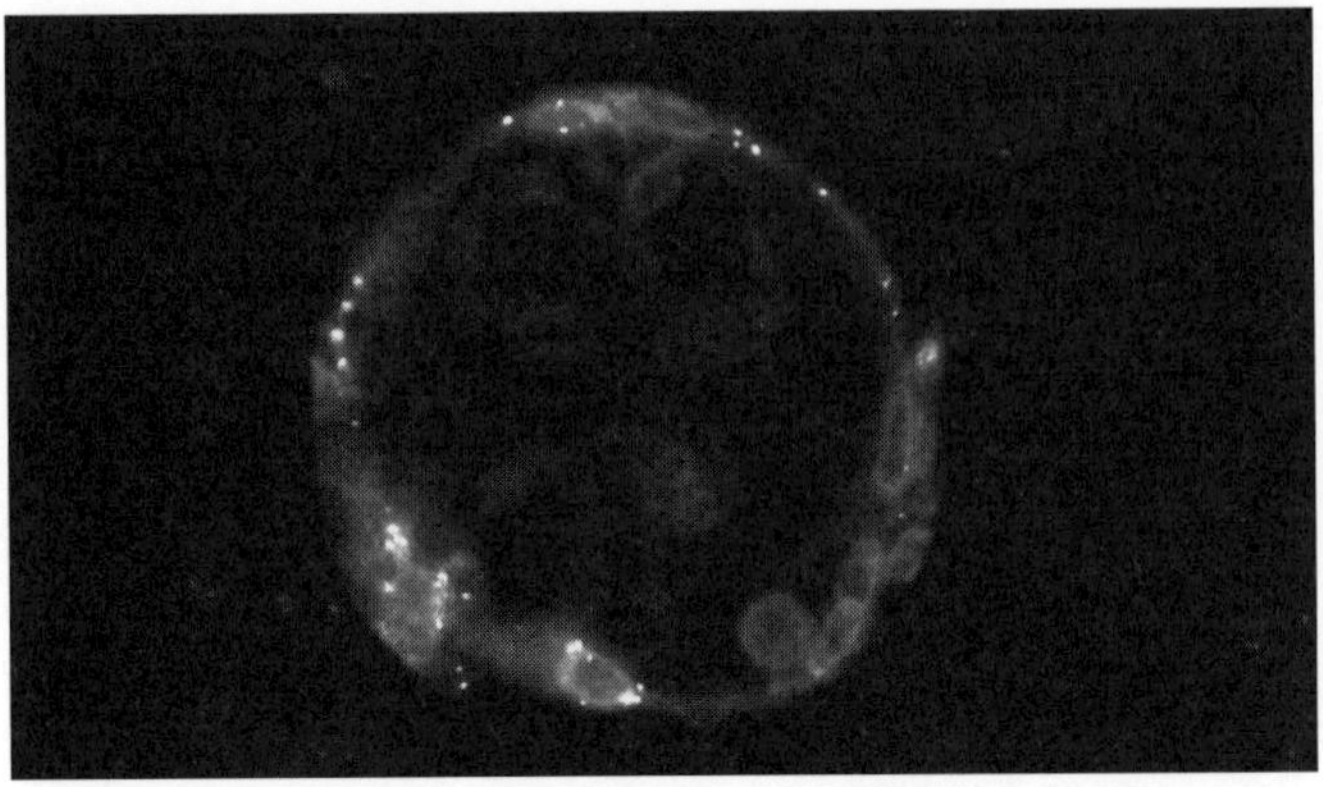

白色の点が絨毛(じゅうもう)の表面の膜に取り込まれたナノプラスチック
(画像提供/スイス連邦材料試験研究所、ティーナ・ビュルキ博士)

「将来、ものすごく大量のプラスチックの中で生活するような地球環境になってしまう可能性があります。いまのうちに実態を把握して、他の生態系に迷惑をかけないプラスチックの管理の仕方を、私たち人間は考えていく必要があると考えています」

ナノプラスチックは母親の胎盤に侵入する?!

ナノプラスチックが人体に及ぼす影響については、どこまで研究が進んでいるのだろうか。

2019年、WHO(世界保健機関)は、マイクロプラスチックは基本的には排泄されるのでリスクは低いとしながらも、150マイクロメートル以下のプラスチックのリスクは未知数であり、究明を急ぐよう呼びかけた。

50ナノメートルという極めて小さいサイズのプラスチックを用い、人体への影響を検証した研究者がいる。

スイス連邦材料試験研究所の毒性学者、ティーナ・ビュルキ氏だ。実験の結果、人体のある場所にナノプラスチックが蓄積する可能性が判明した。

母親の胎盤である。胎盤は、赤ちゃんを育む子宮の上に位置し、赤ちゃんに栄養分や酸素を届ける場所であり、有害な物質をブロックするという、大切な役目も担っている。

今回、本人の同意を得て、出産後、体外へ取り出された胎盤にナノプラスチックを流し込むという実験を行った。胎盤組織の断面を蛍光顕微鏡で観察すると、ナノプラスチックが胎盤の絨毛《じゅうもう》の表面の膜に取り込まれていることが確認された。

ビュルキ氏は、胎盤におけるナノプラスチックの蓄積が実際に起きれば、必要な栄養素やホルモンが十分に届かないなど、赤ちゃんの発育に悪影響が出るリスクがあると指摘する。

次の世代にこの惑星を引き継ぐために

ひとたび環境中に出てしまえば、ナノサイズにまで粉々に砕けるプラスチック。そして海中や大気中を半永久的に漂い、子や孫、その先の世代へ〝負の遺産〟として残り続けてしまう。

東京農工大学の高田氏は、われわれの取材に応え、2030年までのあいだに、原料から生産・消費・リサイクルまで、産業の構造全体を変える合意形成が必要だと訴えた。そして、いまシフトチェンジしないと未来を変えることはできないと付け加えた。

高田氏が取材中に語った言葉が、記憶に焼き付いている。

「アメリカの先住民族のことわざに、『いまを生きる人間は、子孫からこの大地を借りて生きている存在である』という言葉があります。つまり、私たちはこの地球という惑星を未来の人類から借りている存在というわけです。人から物を借りて、返すときに、『汚れているけど、問題ないでしょ？』と言って返す人はいないですよね。プラスチックは地球にとって、いつまでも残り続ける〝汚れ〟です。プラスチックが残らないようにして、次の世代にこの地球を引き継ぐというのが私たちの責務だと思います」

もはやプラスチックがウイルスのような〝目に見えない敵〟になりつつあることに思いを巡らすべきだろう。

石油を際限なく掘り続け、プラスチックという〝怪物〟を生み出した人類。便利で快適な暮らしを改めなかった末路として、その〝怪物〟が牙を剝いている。私たちは、その事実から目を逸らすことなく、向き合っていくしかないのだ。

インタビュー　1

メラティ・ワイゼン

若者に力を与えれば、変化は加速する

Melati Wijsen

2001年、インドネシア・バリ島生まれ。オランダ人の母は持続可能性ビジネスのコンサルタント、インドネシア人の父は家具輸出業を営む。「持続可能な世界をつくるリーダーを育成する」エコ・インターナショナルスクールで学び、12歳のとき、2歳年下の妹イザベルと使い捨てプラスチック禁止を訴えるキャンペーン「バイバイ・プラスチックバッグ」をスタート。姉妹の活動は注目を集め、米TIME誌の「世界で最も影響力のある10代」に選ばれる。また、メラティは「バイバイ・プラスチックバッグ」で知り合った世界中の若者たちを結ぶネットワーク「YOUTHTOPIA（ユーストピア）」を2015年に設立。同年、TEDトークに登壇し、2020年には世界経済フォーラムにスピーカーとして招かれた。

「神の島」と呼ばれるインドネシア・バリ島は、その豊かな自然とユニークな文化で世界中の観光客を魅了するリゾート地だ。そんなバリ島の環境に親しんで育ったメラティ・ワイゼンさんと妹のイザベルさんは、あるとき、自分たちの愛する島の自然が使い捨てのプラスチックごみに汚染されていることに気づく。

この問題を解決するために、自分たちにいまできることは何だろうか——。2013年、ワイゼン姉妹は、レジ袋(プラスチックバッグ)を使わないよう呼びかけるキャンペーン「バイバイ・プラスチックバッグ」を開始する。

当時12歳と10歳だった二人の熱意は、学校での講演などを通して多くの同世代を動かし、大規模な清掃活動や100万人署名活動などの実践によってその影響力は拡大していく。ついには政治を動かすに至り、2019年、バリ島では使い捨てレジ袋、ストロー、発泡スチロール製品が禁止された。現在、「バイバイ・プラスチックバッグ」は、アメリカのカリフォルニアやエジプトのカイロ、日本では東京や京都など、世界50を超える地域で展開されるなど(2021年7月時点)、グローバルな脱プラスチック運動へと発展している。

自らの活動によって、人々が〝プラスチックなし〟の生活を次第に受け入れていった様子を目の当たりにしたメラティさんは、「大量消費主義を変えることは不可能ではない」と確かな手応えを感じたという。危機に瀕した地球環境を救うために日々発信を続けるメラティさんの力強い訴えに、ぜひ耳を傾けてほしい。

「使い捨てレジ袋」は目に見える変化の象徴

――「バイバイ・プラスチックバッグ」を始めた当時、バリ島のプラスチックごみの問題をどのように感じていましたか。

ワイゼン　イザベルと私は、大自然に囲まれた美しいバリ島で育ちました。川や海で泳いだり砂浜を走り回ったりしながら、私たちは島の自然との強い結び付きや愛情を育んでいきました。

以前のバリ島では、ごくわずかしかプラスチックごみを見ることはありませんでした。ところが、あるときから、街中でたくさん積み重なっているごみや、通学途中のバスの窓から燃えているごみの山を見るようになりました。バリ島でリサイクルされる使い捨てレジ袋はたった5パーセントくらいで、毎日排出されるプラスチックごみは14階ビル一棟を丸々埋め尽くすほどもあったのです。

愛する島がプラスチックごみに汚染された光景に戸惑い、なぜこうした状況が生まれたのか、理解できなかった私と妹は、バリ島をふたたび「神の島」とするために戦わなければならないと感じました。

――プラスチックごみにはさまざまなものがあります。あなたたちが活動を始めるにあたり、なぜレジ袋に焦点を絞ったのでしょうか。

ワイゼン　自分たちが「いまできること」を探るために、私たちは、すぐにリサーチを始めました。そして、すでに40以上の国々が使い捨てレジ袋を禁止していることを知ったのです。他の国でできるならバリ島でもできるはずだと考え、そこから、「バイバイ・プラスチックバッグ」のアイデアが生まれました。私たちに、ビジネスモデルの構築や具体的な戦略の立案について知識や経験はありませんでしたが、「バリ島をレジ袋のない島にしたい」というビジョンは明確でした。

「バイバイ・プラスチックバッグ」を始める前は、私も妹も買い物に行くたび、お店でレジ袋をもらっていました。両親や友達、近所の人たちも、ほとんど毎日レジ袋を使っていました。レジ袋を使わないようにすることは、まず私たち自身が取り組んで変化をもたらすことができ、他の人々にも勧められる「いまできること」にぴったりだったのです。

「バイバイ・プラスチックバッグ」は、「レジ袋を使わない」というとてもシンプルな活動ですが、リーダーや活動家たちが自ら実践することで、「レジ袋を使わない生活は不可能ではない」という強いインスピレーションと意欲を人々に与え、スピーディに変化を起こせます。模範を示すことに年齢は関係ありません。私にできるのであれば、あなたにもできるはずです。

私は「バイバイ・プラスチックバッグ」を始めてから、ずっとレジ袋を使っていません。もし私が「レジ袋を使わないで」と呼びかけながらレジ袋を使っていたら、誰も私を信じないでしょう。

スーパーマーケットで使われるたくさんのレジ袋が繰り返し使えるマイバッグに変われば、それは目に見える変化となって、多くの注目を集めることができます。いま、バリ島の農家の人たちは水田に仕事に行くときにレジ袋ではなくマイバッグを使っていますが、それを見ると私は「よかった、一つ達成できた」と思います。

興味深いのは、「バイバイ・プラスチックバッグ」に対して「問題はレジ袋だけではない。ストローは？　ボトルは？　カップは？」という議論が広がったことです。もちろん、レジ袋の禁止は解決策の一つに過ぎません。プラスチック汚染には取り組むべき多くの問題があり、そのことを理解する第一歩が、私にとってはレジ袋だったのです。

レジ袋の使用をやめることで、自分たちが消費しているプラスチック製品についての意識が高まり、さらにストローやペットボトル、包装など他のプラスチック製品についても考えるようになります。そうした意識変容を期待して、私たちは最初の一歩を象徴するものとしてレジ袋を選んだのです。

変化は一夜では起こらない

――「バイバイ・プラスチックバッグ」を始めたとき、あなたたちが直面した問題はなんだったのでしょうか。自分たちは若過ぎるとは思いませんでしたか。

ワイゼン　変化が起こるまで、予想外に時間がかかりました。実を言えば、「バイバイ・プラスチックバッグ」を始めたとき、夏のあいだ、2か月ぐらい活動したら変化が見られると思っていたのです。実際には、活動を始めてから、バリ島政府がレジ袋禁止を決めるまで6年もかかりました。

厳密には、私たちが始める以前からレジ袋禁止を求める活動はあったので、6年以上の時間がかかったと言えます。「変化は一夜では起こらない」ことを学んだ私たちは、粘り強さとやる気を長期間にわたって持続させなければなりませんでした。

しかし、「変化は起こる」と確信していました。私たち姉妹は、自分の信念のために立ち上がることを励ましてくれる家族や大人たちに囲まれて育ったので、「計画を立て、真剣に行動すれば、なんでも達成できる」と思っていたのです。

若者が率いるNGOとして私たちが苦労したことの一つに、法律や規制を理解するということがあり、手助けしてくれる法律家が必要でした。この状況自体は、いまもそれほど変わっているわけではありません。また、最も大きな壁だと感じたのは、政府関係者に若い私たちの意見をどうやって真剣に聞いてもらうかということでした。12歳でこの活動を始めたとき、人々は「なんてかわいいの！」と言いましたが、「かわいい」「若い」というだけでは真剣に受け止めてもらえません。自分たちの主張を認めてもらうために、一生懸命努力しなければなりませんでした。

私たちは、政府にプラスチックごみの問題に関心をもってもらうよう、電話をかけたり手紙を書いたりメールを送ったり直接訪れたりして、訴えを聞いてもらおうとしました。「今日は忙しいので話せない」と何度も言われましたが、私たちは翌日もその次の日も足を運びました。ある時点で、政府の人たちは私たちが真剣に変化を求めていることを悟り、「この子たちは、変えたいと思っていることが変わらない限り、テコでも動かない」と気づいたのだと思います。そこでようやく話し合いの場が生まれたのです。

この数年、政府や企業の経営者たちが若い世代の意見に耳を傾けようという姿勢を強く示すようになりました。私たちはそのような機会を通して彼らに挑み、責任を問うようにしています。しかし、そのためには会議に招待される必要があります。若者の大きな会議への参加は一般的になりつつあるものの、まだ十分ではありません。

これまで、私はさまざまな会議に招かれ、大臣や大企業のCEOと同席しました。そのような会議では、時として、極めて複雑な空気が存在しますが、私たちのような若者はそれを気にしません。社交辞令を心配せず、相手がスーツやネクタイを着用しているかどうかも気にせず、自分らしくいる。それが私たち若者のもつ力です。問題があれば、その解決策が必要だとストレートに話します。大きな会議室の大きなテーブルの片隅に座り、大人たちから意見を求められたときはいつも「もっと多くの取り組みが必要です」と答えてきました。

もちろん、若さがあれば変化を起こせるわけではありません。多くの努力や活動を積み重ねて力をつけていくことが必要ですし、よいチームの存在もとても重要です。バリ島の「バイバイ・プラスチックバッグ」には約150人の学生がボランティアとして関わっています。結局のところ、どれほど熱意があっても、自分の力だけでは目標を達成できないのです。

――「バイバイ・プラスチックバッグ」の活動を進めるなかで、さまざまな大人たちとの出会いがあったと思います。協力的な人もいれば、懐疑的な人もいたでしょうが、どちらのタイプの大人があなたにとって助けになりましたか。

ワイゼン　率直に言えば、両方だと思います。若い活動家にとって、自分のビジョンを支持し、目標を理解し、最善の道を示してくれる大人が周囲にいることは非常に重要です。けれども、私たちに挑んでくる人々からも大切な教訓が得られます。

たとえば、親や兄弟姉妹と喧嘩《けんか》するとき、意見の相違にストレスや憤りを感じるものですが、それで終わってしまっては何も生まれません。自分のビジョンやミッションに賛成しない人がいたときには、「なぜ、この人は賛成しないのか」「彼らが変化を拒むのは、どのような問題があるからなのか」と耳をそばだてることです。彼らの考え方を理解できるようになったとき、自分のミッションに協力してもらうためには何が必要かが見えてきます。そうすれば、その人たちに参画してもらう戦略を考えることができるでしょう。ですから、助けてくれる大人も助けてくれない大人も、両方の存在が有益だと言えます。

「レジ袋がない島」の実現まで

――現在、バリ島は使い捨てレジ袋の使用を禁止しています。「バリ島をレジ袋のない島にする」というあなたたちの目標が達成されるまで、具体的にはどのような活動をしてきましたか。

ワイゼン　私たちは、プラスチック汚染の問題を描いたカラフルな絵本をつくり、ワークショップや学校でのプレゼンテーションを行いました。プラスチック危機は、私たちがプラスチック製品を使い捨てることで起きているということ、そしてそれが環境や私たちの健康にどのような影響を及ぼすかを知ってもらって、変化を起こそうと考えたのです。こうしたことを知れば、人々は「いますぐ、使い捨てのプラスチック製品を使うのをやめよう」と思うようになります。

ＳＮＳの力によって、私たちの呼びかけは世界中に広がり、私たちは世界各国の20万人以上の学生たちを対象に講演やワークショップを行ってきました。Ｚ世代（１９９６〜２０１５年にかけて生まれた世代）の私たちにとって、ＳＮＳを組織化のツールとして使うことは簡単で、若い活動家たちは互いを結び付ける道具としても活用しています。

しかし、ＳＮＳでハッシュタグを付けてキャンペーンを張るだけでは、何かが起きているという認識を高めることはできても、変化を起こすまでには至りません。人々の生活習慣を変えるには、最終的に口コミや対面でのやりとりが必要になります。そして、実際に行動すること——汗をかいてプラスチックを拾う、脱プラスチックについてのプレゼンテーションに参加するなど——が重要です。

その意味では、清掃活動も人々の認識を向上させる有効な方法の一つです。私たちは「Bali's Biggest Clean Up」という、バリ島最大の清掃イベントを毎年2月に行っていますが、これは社会のあらゆる人々に「あなたも変化をもたらす一端を担える」と示すものです。この清掃イベントはこれまで島内の３００か所で開催され、のべ４万５０００人が参加して、海岸や川などから１００トン以上のプラスチックを回収してきました。

他にも、イザベルと私は、レジ袋使用禁止に向けて空港での署名活動を行いました。目標は10万人です。署名を始めたときは、それがどれほど大きな数字なのか、私たちはわかってはいませんでしたが、多くの賛同者に出会えるはずだと確信していました。空港はバリ島に到着する人だけでなく、バリ島でプラスチック汚染を目にした人々も利用する場所だからです。私たちは空港で最初に知り合った掃除スタッフから段階的にいろいろな人につながり、最終的には、空港支配人から出発ロビーで活動する許可をもらうことができました。仲間たちと小さなボードをもって嘆願書に署名してくれるようお願いして回り、目標どおり、10万人の署名を集めました。

その他にもファッションショーやサーフィン大会などを通して、私たちは人々に「レジ袋を使うのをやめよう」と呼びかけ、隣の村や市場へ足を運んでは、マイバッグの使用をお願いしました。２０１７年には、「マウンテン・ママ」というプロジェクトを立ち上げ、女性たちが古布からつくったエコバッグの販売も始めています。目標達成のためには、こうしたさまざまな試みにたくさんの人々に参加してもらい、一緒になって活動することが重要です。それにより、ある日突然、変化が起き始めるのです。

バリ島ではマイバッグを持参して買い物に行く人はますます増えています。それはトレンドというより、もはやふつうのことになっています。いま、インドネシアでは3人に1人が水筒をもち歩き、4人に1人がマイフォークやマイスプーンを持参するようになっています。「使い捨てプラスチックがない生活なんて、考えられない」と言っていた人たちも、いまではプラスチックごみを削減しようと意識を変え、そのために行動しています。

法律を変えるだけでは十分じゃない

――バリ島でレジ袋が禁止されたとき、どのように感じましたか。

ワイゼン　もちろん、うれしかったです。そして、とても安堵しました。「バイバイ・プラスチックバッグ」が「バリ島をレジ袋のない島にする」という目標に大きく近づいたことは、「いくら突拍子もないアイデアでも、たとえ子どもであっても、それを本当に信じているなら実現できる」ことを示す実例になったと思います。

いま、「バイバイ・プラスチックバッグ」のチームは世界各地に存在していますが、バリ島の成果は、世界の若いリーダーたちに「あなたたちにもできる」という勇気を与えたと思います。これは、「バイバイ・プラスチックバッグ」の創始者として、私が最も誇るべきことの一つです。

でも、道のりは長く、レジ袋を禁止する法律が制定されても、それで問題が解決するわけではありません。レジ袋以外の廃棄物はまだまだたくさんあり、海や川が以前よりきれいになったとは言えません。特に雨季はごみだらけです。

――あなたには、まだやることがあるということですね。

ワイゼン　インドネシア政府は2025年までにプラスチック廃棄物を70パーセント削減すると

いう目標を示していますが、時間は刻一刻と過ぎています。レジ袋の禁止だけをとってもこれほど長い時間がかかったのに、目標達成までの期間はあと4年しか残っていません。インドネシア政府が掲げた目標には多くの疑問点があり、たとえば日常ベースの短期目標が立てられていないことは、変化が十分な速さで起きていない理由の一つだと思います。こうした変化の遅さは、大きなフラストレーションです。

法律を制定し、書類に署名し押印するだけでは、変化は起こりません。以前と比べれば政府はプラスチックごみの問題解決に意欲をもつようになりましたが、それに加えて、目標を実際に達成していくリーダーシップがなければ、単なる口約束で終わってしまいます。

インドネシアは1万7000もの島々から構成される群島国で、変化をもたらすためにはいろいろなレベルの地方政府や制度に権限を与え、人々が行動や考え方を変えるようにはたらきかけていくことが必要です。やるべき仕事はまだまだたくさんあります。

チェンジメーカーを目指す若者たちへ

――あなたのように何かを始めたいと思う若者に、どのようなアドバイスをしますか。

ワイゼン　私たちは世界各地の若者たちに話をしてきましたが、そのたび、「あなたたちがしていることを、どうしたら私にもできますか」という質問を受けました。彼ら・彼女らが知りたいのは、

「どうしたらチームを結成できるか」「どうしたら活動を始められるのか」「どうしたら人前でうまく話せるようになり、よいインタビューができるのか」といったことですが、チェンジメーカー（社会課題をさまざまな手法を用いて解決しようとする起業家や活動家）になる技術は学校の授業で学ぶことはできません。

私の場合、とにかく活動をスタートさせることを勧めています。チーム構築は、友人や隣人、学校の先生といった身近な人たちの中から、自分のビジョンを進んで支持してくれる人を見つけるところから始まりますが、まず必要なのは、その最初の一人なのです。私にとって、それは妹でした。次に友人のルース、その次に見知らぬ学生が私たちの活動を知って仲間に加わってくれました。それからは口コミを通して、次第にチームのメンバーが増えていったのです。

「活動を始めたい」「変化をもたらしたい」という情熱や意欲をもつ若者たちに対して、私が問いかけたいのは、「達成したい最終的な目標は何か」ということです。目標が明確でない若者が企業の会議室へと赴き、相手を責めるだけでは、多くを達成することはできません。現実的な最終目標を考えることが必要です。「バイバイ・プラスチックバッグ」では、レジ袋という挑戦しやすい問題を選び、人々の関心を引くことができました。その段階があったからこそ、次の大きな問題へと道が開かれていったのです。

同じ目標を目指すNGOと自分たちの活動の違いを明らかにすることも重要です。たとえば、「バイバイ・プラスチックバッグ」を通じて訴えたメッセージはことさら新しいものではありません。レジ袋の廃止については、私たちが活動を始める何年も前から言われてきました。私たちが他の団体と異なっていたのは、活動に若者を参加させ、「これはいますぐにでも取り組むべき問題なのだ」という緊張感をもたらした点です。

もし大学進学に有利だからという理由で活動するのであれば、疲弊するだけで十分な変化は起こせず、失敗するでしょう。自分が正しいと信じられるミッションのために行動しなければ、人々を魅了することはできません。若い活動家たちには、「自分がつながっていると感じるもの、熱意を感じるもの、もっと知りたいと思っているものを探してほしい」とアドバイスしたいと思います。それが活動をやり通す力になるのです。

私はいま20歳で、年を取ったと感じます。活動を始めた年齢がとても若かったので、成長するに伴い、「バイバイ・プラスチックバッグ」の原動力は若さだけだったのではないかと、心配になることもありました。しかし、原動力は「自然を守りたい」という私の熱意なのだとすぐに気づきました。

若い活動家にとって、自分のミッションに粘り強く忠実でいるために、活動に向ける情熱や地道な努力を維持することも課題となるでしょう。私たちは非常に多くの問題がある時代に生きているので、毎日、「もっとすべきことがある」と思わずにはいられません。それが私たちを疲弊させる原因にもなっています。

でも、落ち込んで希望をなくし、気候危機を心配して一日中ベッドの中でアイスクリームを食べていても、何もよいことはありません。「自分はチェンジメーカーになれる」という気持ちをもち続けることが大切です。

そのためには、小さな達成を祝い、一息ついて楽しむことも必要です。私の場合は、自然の中を歩いたり、日没時のビーチを楽しんだり、寄せる波に足を浸けてみたり……。そうすれば、地球上のこの美しいホットスポット（生物多様性が人類によって損なわれようとしている地域）を保護するために自分たちは頑張っているのだと、気づくことができます。自然を楽しむことでふたたび自分にエネルギーを注入し、活動へと向かう力を取り戻すのです。

いちばん大きなメガホンをもっているのは若者である

――「バイバイ・プラスチックバッグ」の成功を受けて、あなたが次にやりたいことはなんでしょうか。たとえば、レジ袋以外の廃棄物の問題に取り組む予定はありますか。

ワイゼン　私は「バイバイ・プラスチックバッグ」の活動にとどまろうとは思っていません。自転車の乗り方を覚えるときに補助輪を付けますが、私にとって「バイバイ・プラスチックバッグ」はそのようなものだと思います。

私の情熱やビジョンはより大きくなり、それは主に若者たちに力を与えることに関係しています。なぜなら、危機は現在進行形で起こっており、私たち若者に「成長して高校を卒業するまで待つ」余裕はないからです。変化はたったいま必要なのです。

大人たちに「私たちに力をください」と頼むのではなく、若者同士で協力し大きな力を生み出すことが求められます。そこで、従来の教育を通してではなく、ピアツーピア（仲間同士の）教育や学びの空間の中で、若者たちにチェンジメーカーになるための基本的な知識や技術を習得してもらおうと考えました。それが「YOUTHTOPIA（ユーストピア）」という、新しいプロジェクトです。

これは地域社会中心のプラットフォームで、私たちは現場で経験を積んできた若い活動家たちと一緒にさまざまなプログラムをつくっています。経験をもつ先輩から学ぶことで、力を得てやる気を起こした若者の中から、次世代のチェンジメーカーが生まれるのです。

――2030年は、国連のSDGs達成の年とされています。あなたは17の目標はすべて達成★1できると思いますか。

ワイゼン　17の目標は「誰も取り残すことなく」達成されなければなりません。そのために、私たちZ世代がなすべきことはあまりにも多く、圧倒される気持ちになります。でも、「教育によって変化をもたらすことができる」という考えは若いチェンジメーカーたちに共通しており、「ユーストピア」もその一翼を担っています。

教育の次の段階として必要となるのは、いま存在する解決策をすべて稼働させる制度的な変化、つまり政府による強力な実施計画です。私たちは繰り返し、変化を好まない政治家やビジネスリーダーたちから「人々は変化を望んでいない」「人々は変化を受け入れる準備ができていない」などの弁解を聞かされてきました。しかし、このような弁解は容認できません。なぜなら、変化する以外の選択肢はないからです。

若者たちにもっと力を与えれば、変化を加速できます。その点で、私は楽観的です。私は世界中で同じ考えをもつ大勢の若者たちに会ってきました。彼ら・彼女らは、現在の制度に疑問を抱いて行動を起こし、斬新で建設的な変化をもたらす立場に立とうとしています。

いま、私たちは「準備はできている」「変化を求めている」という声を高め、皆で一緒に取り組む段階にあります。いちばん大きなメガホンをもっているのは私たち若者であり、それが私たちの力なのです。若者や子どもは世界人口の数十パーセントに過ぎないかもしれませんが、未来の可能性の100パーセントを握っています。そして、その未来は、私たちの行動すべてとともにすでに始まっているのです。

★1　2015年9月、「我々の世界を変革する：持続可能な開発のための2030アジェンダ」が国連総会で採択。そこに盛り込まれているのが、世界を変えるための17の目標、いわゆるSDGs。掲げられた目標は以下のとおり。①貧困をなくそう　②飢餓をゼロ　③すべての人に健康と福祉を　④質の高い教育をみんなに　⑤ジェンダー平等を実現しよう　⑥安全な水とトイレを世界中に　⑦エネルギーをみんなに　そしてクリーンに　⑧働きがいも経済成長も　⑨産業と技術革新の基盤をつくろう　⑩人や国の不平等をなくそう　⑪住み続けられるまちづくりを　⑫つくる責任　つかう責任　⑬気候変動に具体的な対策を　⑭海の豊かさを守ろう　⑮陸の豊かさも守ろう　⑯平和と公正をすべての人に　⑰パートナーシップで目標を達成しよう

トム・ザッキー

社会から「ごみ」という概念をなくしたい

Tom Szaky

1982年、ハンガリー生まれの企業家。1986年にウクライナ(旧ソ連)で起きたチェルノブイリ原発事故をきっかけに、4歳で両親とともに故国を離れ、5歳のときカナダに移住。高校時代から起業に関心を持ち、アメリカ・プリンストン大学在学中、19歳でテラサイクル社を創業。同社の事業内容は、大学のカフェテリアの残飯をミミズに食べさせて堆肥をつくるというものだった。その後、リサイクル困難と言われてきたさまざまなプラスチックごみのリサイクル技術を開発。2012年には、国連の「世界を変えるリーダー賞」を受賞するなど、次世代を担う企業家として世界から注目されている。現在は、20か国以上でリサイクル事業を展開する。

テラサイクル社の創業者、トム・ザッキー氏は「ごみは宝の山だ」が口癖《くちぐせ》だ。お菓子のパッケージ、タバコの吸い殻、古い歯ブラシ、使用済み紙おむつ、吐き捨てられたガム……従来であれば、埋め立てられたり焼却されたりする他はなかった、これらのごみに新たな使い道を見つけ、バックパックや公園のベンチ、農業資材などに生まれ変わらせる。リサイクル業界を革新する同社のビジネスモデルに可能性を見出した、多くのブランドやメーカー、小売店がスポンサーとして協力。同社の売上高は2017年に2310万ドル、翌18年に3180万ドル、19年には4940万ドルと快進撃を続けている。

だがザッキー氏は、〝ごみ危機〟を解決するためにはリサイクルだけでは不十分であり、人類が大量生産・大量消費社会から脱却し、ごみそのものを出さない仕組みを構築することが必要だと訴える。その一つの試みとして新たにスタートさせた容器の回収・再利用プロジェクト「Loop（ループ）」は、すでにニューヨークやパリでの試験運用を終え、200を超えるブランドが参加し世界各国での展開が予定されている。

ごみが備品として再活用されているテラサイクル社のオフィスは、「すべてのごみには使い道がある」というザッキー氏の信条を体現するものだ。彼が思い描く「ごみが存在しない」社会は、持続可能な循環型経済のモデルが目指すゴールの一つである。

ごみは実際には存在しない

――あなたは大学生のときにテラサイクル社を起業しましたが、何がきっかけだったのでしょうか。

ザッキー　私は共産圏の出身で、若いころは「よいアイデアがあり、一生懸命働けば、何ももっていなくてもすべて達成できる」という資本主義的起業家精神に惚《ほ》れ込み、名声と富を得るために起業しようと考えていました。

しかし、大学1年生のときに受けた経済学入門の講義で、その考えは大きく変わりました。教壇に立つ教授から投げかけられた「ビジネスの目的とは何か」という問いに、私は考え込みました。求められている一般的な答えは、「株主に多くの利益を分配するため」であることはわかっていました。しかし実際には、株主のことを考えて仕事をする人は多くないはずです。

たとえば、テレビ番組を制作する際、株主の利益に関心を抱くスタッフや視聴者がどれだけいるでしょうか。「関係者のほとんどが関心を示さないのに、なぜ株主の利益がビジネスの目的になりえるのか」と疑問に思った私は、ビジネスの目的を「どうすれば社会がよくなるか、どうしたら環境がよくなるか」にすべきだという結論に達しました。そのような目的を設定すれば、利益を上げることがより重要な意味をもち、かつ人々の健康の指標ともなりえます。

その点、ごみ問題は情熱を注ぐに値する分野だと考えています。まず、ごみのリサイクル・リユース（再利用）は、歳入に比して最もイノベーションが行われていない産業の一つです。ごみに興味をもち、ビジネスを発展させようとする人はまずいません。〝ごみ屋〟はからかいや蔑《さげす》みの対象であり、ごみはトイレに流してしまいたいもの、捨ててしまいたいものと思われているからです。しかし、だからこそ、起業家にはぴったりの産業と言えます。

いずれすべてのものがごみになるとすれば、人々の持ち物は一つの例外もなく将来的にはごみ会社の所有物になるでしょう。そのような産業は他にはありませんし、ごみにはありとあらゆるヒントが詰まっています。その巨大なポテンシャルにまだ誰も気がついていません。だから、私のようなごみに魅了された人間がイノベーションを独り占めできるのです。

――テラサイクル社のオフィスは、ごみが溢れていることで有名です。ごみに囲まれて仕事をする気持ちはどんなものでしょうか。

ザッキー　われわれのオフィスに来れば、「ごみは実際には存在しない」ことがよくわかると思います。たとえば、会議室の机は古い冷蔵庫のドアやカリフォルニアのワインの樽《たる》でできていますし、椅子は古いミニバンの助手席のシートを再利用しています。車のシートは長時間座れるようにデザインされていて非常に座り心地がよいし、とても頑丈です。

世界各地にあるテラサイクル社のオフィスの備品は皆、ごみからつくられています。そのことが示しているのは、どんなごみにも可能性があり、無駄にすべきではないこと、そして、異なる状況に置けば役立つということです。

「ごみに囲まれて仕事する気持ちは?」という質問についてですが、実のところわれわれはオフィスにあるものをごみだと感じていません。「ごみ」と言うと、臭くて嫌なもの、関わりたくないものと思われがちですが、ごみはそこからいろいろなものがつくれる、すばらしい資源なのです。われわれはオフィスを設計するとき、こうしたごみの可能性を探求するとともに、ごみのリサイクルやリユースを行う企業で働くスタッフの意識を高めようとしています。

実際、あらゆるものは回収し、リサイクルできます。しかし、われわれの事業はそれだけにとどまりません。現在、廃棄物を材料に使いさまざまな製品をつくるプロジェクトを進めています。最近では、世界最大の一般消費財メーカーであるP&G(プロクター・アンド・ギャンブル)社などの企業と協働して、日本近海から回収した海洋プラスチックごみで台所用洗剤の容器をつくる事業を展開しました。このプロジェクトで使われる容器は使い終わったあとは洗浄し、詰替え用洗剤を入れることで、繰り返し使用できるようになっています。使い捨てなければ、ごみにはならないのです。

私の最終目標は「ごみという概念をなくすこと」です。そして、それを人々が最も納得してくれる方法、つまり持続可能なビジネスを通して広げたいと考えています。この目標が他の人々にとって、ごみ以外の社会課題、たとえば生物多様性のような、気候変動や持続可能性に関係する重要な課題の解決への刺激になることを期待しています。

ごみを出すのは人間だけ

――私たちは大量生産・大量消費社会において、多くのものを使い捨てることで利便性を獲得するという恩恵を受けています。私たちの生活こそがごみ危機を引き起こしていることについて、あなたはどう考えていますか。

ザッキー　そもそも、ごみ危機が生じた要因は自然界には存在しません。ある生物の排出物は別の生物にとって有益かつ必要なものであり、循環されていくものだからです。たとえば、チンパンジーは呼吸をして二酸化炭素を排出し、排便をし、死ねば体そのものが排出物となりますが、これらすべては木々や昆虫、細菌、微生物が生命を維持するために必要なものです。しかし、プラスチックや他の化学物質は、人間以外の生物にとってなんの役にも立ちません。この「他の生命体にとって使い物にならない廃棄物」ということがごみの定義の一つだと思います。こういうごみを排出するのは人間だけです。

以前は、土に還る自然素材でつくられた容器が使用され、それらの容器は中身を入れ替えて長く使い続けられるようにつくられていました。しかし、1950年代にプラスチックや他の化学製品を使った使い捨てが行われるようになり、その利便性は、人々の生活を一新させました。ものの値段が安くなったことで使い捨ての習慣が根付き、ものを長く使ったり再利用したりする生活様式が失われ、ごみ危機へとつながったのです。以来約70年、人間は大量のごみを生み出す大量生産・大量消費を前提とする社会に生きてきたと言えるでしょう。

地球環境を考えれば、私たちはすでにものを買い過ぎており、何かを買うたびに環境にさらなる負荷をかけていると言えます。たとえば１００年前、人々が買っていた衣服は年平均2着で、それを捨てる前に平均20年間着用していました。そして現在、私たちは年平均66着の衣類を購入し、平均で3回着用したあと、捨てています。１００年間で「2着・20年間」から「66着・3回」への変化は非常に急激なものです。それに70億という世界の人口を掛けると、膨大な量の衣服がわずかに使用されただけで捨てられていることになります。このように衣服を使い捨てることは、それらの安価な衣類を生産するために劣悪な労働環境で働かされる人々への搾取に加担していることはもちろん、環境に対する暴虐にもつながります。

いまだ多くの人が理解していませんが、私たちは環境危機のさなかにあり、その原因は私たち人間の活動です。１９７０年代後半には、人類は地球が回復できる以上のものを地球から搾取し始めていたと言えます。ものを買うという行為は信じられない速度で気候を変え、これまでにない規模の自然災害や生物の大量絶滅を招いているのです。

ポスト・パンデミックに予想される最悪のごみ危機

――コロナ・パンデミックも、大きな災害の一つと言えます。パンデミックから得られた重要な教訓はなんでしょうか。また、ごみは今回の危機によって増えているのでしょうか。

ザッキー　パンデミックで思いがけず人間の経済活動が制限され、記録が開始されてからはじめて二酸化炭素排出量が前年を下回るなど、世界各地で環境によい影響がもたらされました。厳しい外出制限が行われたインドの都市部では、いままでスモッグで覆われていたヒマラヤの山々を街中から確認できるようになったと言います。

改善された生活環境に動物がやってくるという事例も数多く報告されており、たとえばイタリア・ベネチアの運河でクラゲが泳ぐようになったり、カナダ・モントリオールのセントローレンス川でザトウクジラの子どもが泳いでいるところが目撃されたりしました。これらのニュースはすばらしい説得力をもって環境保護運動への推進力を与えており、実際、世界中の国々が環境によりやさしい法律をつくろうとしています。

しかし、地球環境全体を改善するのに十分な変化は起きていません。皮肉なことに、パンデミックは人間が地球に及ぼしている影響を顕著なかたちで示し、私たちの環境意識を高めたはずなのに、実際には、私たちはネット通販でより多くのものを購入し、より多くのごみを出しています。また、使い捨て製品はパンデミック以前より平均30パーセント多く消費されたとの推計もあります。毎日着用し捨てているマスクや手袋だけではなく、テイクアウトの容器に使われる梱包材や、屋内を安全かつ清潔に保つための洗浄剤などの消費が増えていることが影響していると思われます。

さらに悪いことには、リサイクルのシステムにも新型コロナウイルス感染症の悪影響が及んでいます。リサイクルされるものが適切な場所に行き着くよう、現場の作業員は手作業で廃棄物を分別していますが、彼ら・彼女らの健康と安全を守るために、世界の多くのリサイクル業者が操業を停止しています。

また、出入国管理などの移動制限は飛行機など交通機関の需要を減少させ、石油価格を押し下げましたが、このことはバージン・プラスチック（新品のプラスチック）の価格低下をもたらし、リサイクルでつくられた再生プラスチックの流通を困難にしています。つまり、ポスト・パンデミックに最悪のごみ危機の到来が予想されるのです。

もちろんこれは大きな課題なのですが、イノベーションを起こす機会でもあります。なぜそうした状況に陥ったのかを考えるより、そこから脱出するよい方法を探すことが重要です。

リサイクルだけでは危機を解決できない

――先ほど、危機の根本となる原因は人間の活動にあるとおっしゃいましたが、変化を起こすために、どのような取り組みが必要だと考えていますか。

ザッキー　危機を根本的に解決し、持続可能な社会を再構築するために私たちがすべきことは、循環型経済の仕組みを社会にどう組み入れていくか、できるだけ自然の生態系に近いかたちでものが循環し続けるにはどうすればいいか、真剣に考えることです。
循環型経済について理解するには、まず「直線型経済とは何か」を理解することから始めるのがいいと思います（260ページも参照）。直線型経済とは、大量生産・大量消費・大量廃棄が一方通行で起こる経済のことです。鉱業や農業を通じて地球から採取された物質は、製品として販売され、製品の寿命が尽きればすべて廃棄されます。

よく「(自然界で分解されない) プラスチックは最悪の物質だ」などと言われますが、プラスチック自体は善でも悪でもありません。そのような不名誉をプラスチックに与えているのは、使い捨てをしている私たち自身なのです。信じがたいほど短期間のみ使用されて廃棄されるのは、プラスチックに限りません。金属やガラスも同じで、私たちはこうした資源を可能な限り循環させ、長く使い続けることによって、その価値を高める必要があります。家や車と同様に、シャンプーの容器を自分の〝資産〟として考えるのです。そして〝資産〟の寿命をできるだけ長く保って使えば、その価値を高めることができます。

循環型経済の目標は、ものの寿命が尽きても資源を埋立地や焼却場に廃棄せず、新しいものに変換してふたたび循環できるようにすることです。これにより、さらなる採取や生産の必要性を効果的に排除します。たとえば、循環型経済ではプラスチックは廃棄されずに循環し続けるので、原料である新たな石油の採掘をしなくても済みます。循環の仕組みにはさまざまなやり方がありますが、いちばん簡単なのは、使用済み飲料用ボトルのプラスチックを新しい何かに生まれ変わらせるリサイクルです。

しかし、容器が溶かされて別のものにつくり変えられるリサイクルのシステムはやはり地球環境に負担をかけますし、そもそものがごみになる根本の理由は使い捨てにあります。ですから、できるだけ循環の過程を少なくし、ものが使われる際の影響を最小限にすることが必要です。その意味で、容器のかたちを壊す必要がなく、繰り返し循環させることができるリユースはより健全なやり方と言えます。

「ループ」――21世紀の牛乳配達

――あなたが新たに始めた「ループ」のプロジェクトは、その一つの方法なのでしょうか。持続可能な社会実現を目指す取り組みに興味がない人にとっても、「ループ」は魅力的だと思いますか。

ザッキー　「ループ」は世界規模の循環型プラットフォームです。リサイクルに頼るのではなく、まさにリユースの仕組みを構築しようとするもので、スーパーマーケットのような小売企業と協働します。利用者は食品や飲料、シャンプー、洗剤などを再生困難な使い捨て容器で買うのではなく、リユースできるガラスやステンレスなどの容器で購入し、中身を使い終わったあとはごみ箱ではなく小売店に設置された回収ボックスに入れるだけです。

利用者自身が洗浄したり分別したりする手間をかけなくて済むので、気軽にリユースの仕組みに参加できます。回収ボックスに入れられた容器は埋立地や焼却場はもちろんリサイクル工場に送られることもなく、地域の工場で洗浄されたあと、生産者によって充填《じゅうてん》され、ふたたび小売店で販売されるという循環が繰り返されます。

興味深いことに、私の親や祖父母の世代は「ループ」について、「自分の子ども時代と同じだ。

牛乳や飲み物は再利用できる容器に入っていた」と言います。「ループ」の考え方は特段新しいものではなく、祖父母たちの時代には当たり前だったのです。つまり、われわれは過去から学び、そのビジネスモデルを現代人のライフスタイルや好みに合わせてアップデートしているのです。「ループ」はいわば21世紀の牛乳配達のようなものですが、一度消滅したビジネスモデルを復活させるには、現代的な再発明が必要です。消費者が望むのは非常に多種類の製品で、スーパーマーケットに行けば何十万もの製品が並び、私たちはその中から自分の好きなものを選ぶことができます。これは再利用容器を使うことが一般的だった100年前にはなかった現象で、われわれはこうした多種多様な選択肢を提供し、現代人が慣れきっている高度な利便性を同時に提供する必要があります。

現代の消費者はものに価値を望み、特徴や利点がたくさんあり、便利であることを望みます。ですから、われわれは容器を価値のあるものにして、そこに10倍も100倍も多く投資することで、持続可能性を含めた多くの革新的な特徴や利点をもたせるようにしているのです。

使い捨て容器を前提とする仕組みでは、アイスクリームや洗剤を買うたびに容器も購入しますから、その容器に高価な材料を使えば商品の値段が跳ね上がってしまいます。そのため、使い捨ての容器は安価でなければなりません。しかし、循環型経済の仕組みである「ループ」では、利用者はペラペラのプラスチックではなくステンレスやガラスでつくられた、美しく耐久性のある容器を手にすることができます。機能面でも、たとえば食品の新鮮さがより長く保たれるような容器が提携企業によってつくられています。

日本での例を挙げると、われわれのパートナー企業である味の素は、「ループ」の容器に湿度と温度のセンサーを加え、製品の質をスマートフォンに報告する機能をもたせることも考えています。このようなイノベーションはコストがかかるので、使い捨て容器で採用することは不可能でしょう。

これらはすべて、再利用システムがもたらす、すばらしい面であり重要なポイントです。デザイン性や機能性の高い容器を魅力的だと感じるのは、世代はもちろん、持続可能性に関心があるかどうかも問いません。われわれの調査では、「ループ」のユーザーの多くは「再利用できる」ことに価値を認めつつも、それ以上に「すばらしいデザインと利便性」に魅力を感じています。私としては、「地球を救うことに役立つ」ことに魅力を感じてほしいところですが。ともあれ、美しいデザインの容器を提供することで、人々の消費行動を破壊的なものからよりよいものへと移行させることができるのです。

「ループ」は消費者だけでなく、世界の大手企業からも支持を受けています。その理由の一つは、多くの企業は「環境危機の原因だ」と非難されており、危機を解決するために何か行動したいと真剣に考えているからです。そうしなければ、消費者離れを起こし、ビジネスに大きなダメージをもたらすことになるでしょう。「ループ」はそうした企業のニーズに応え、危機の解決に参画する機会を与えるものと考えられています。

また、こうした経済的機会は循環型経済について語るとき、確かに大事なポイントですが、取って代わられる直線型経済のことを忘れてはいけません。経済革命には常にこうした緊張があり、たとえば車が発明されたときには馬車を製造していた人たちが廃業に追い込まれるといったことが起こりました。ですから、循環型経済を発達させながら、取り残されるかもしれない人々をできる限り多く、こちら側へと引き込み一緒に連れていくことは非常に重要です。

「ループ」の仕組みは、使い捨て容器の生産者にとっては脅威と映るかもしれません。そこでわれわれは彼らとパートナーシップを組み、再利用容器部門を設置してもらうことで、彼らが循環型経済への移行から経済的利益を得られるようにしています。こうした取り組みにより、取り残される側からの抵抗を受けずに、順調に移行を進められるのです。

消費者の行動を変えるアプローチとは

――「ループ」は２０２１年秋に日本での運用開始が予定されています。日本は大量に使い捨てプラスチックを消費している国であり、また完璧な〝おもてなし〟を表現するために、たった１本のバナナさえ包装材で包むなど、「使い捨て」という生活習慣が社会に深く根付いています。そのような国で、消費者が循環型経済に適した行動を取ることは本当にできるのでしょうか。

ザッキー　日本は「ループ」が参入する最初のアジア市場です。日本で最も大きな小売企業の一つであるイオングループが「ループ」に高い関心を示し、２０２１年5月から販売を開始したほか、多くの日本の消費財メーカーから多数の問い合わせを受けています。また、日本ではいま、多くの人々が急速に環境保護運動に目覚め、環境保護の対策への注目も高まっていることから、日本は最も活発な市場の一つになると見ています。

おっしゃるように、日本は包装材に大きな価値を置く国で、たとえばクッキーを何重にも包む国は日本以外に世界のどこにもありません。こうした文化は過剰包装の問題に直結するため、包装材をより持続可能なものにすることは日本の企業にとって切実な課題と言えるでしょう。大手企業からの強力な支援が得られ、環境危機と包装材の関連性に対して国民の文化的関心が高まっている日本で、「ループ」はなんらかのイノベーションを起こせると考えています。

包装のような日本人のあいだに深く根を下ろしている文化、生活習慣を即座に断念するよう求めるのは、現実的ではないでしょう。消費者の行動を変えることは非常に難しく、特にいまのような環境危機が進行するさなかに、行動変容を待つ時間の猶予《ゆうよ》はありません。また、人々に罪悪感を抱かせることによって購買行動を変えさせようとしても、そのような動機では変化は長続きしないでしょう。

「持続可能な消費」はしばしば、何かを断念する犠牲として語られますが、私たちはもっと前向きなことに焦点を置き、「なぜ、それはよいのか」を語るべきだと思います。「ループ」が発信するのは、「包装と縁を切れ」「考え方を変えろ」ではなく、「もっとよい、もっと美しい、もっと機能的な容器を差し上げます。でも、それは使い捨てではなく、再利用になります」というメッセージなのです。

こうしたアプローチは、持続可能性を目指す他のすばらしい運動とも共通します。その一つは、ビヨンド・ミート社やインポッシブル・フーズ社のような肉そっくりの代替肉を開発する企業と協働し、植物由来タンパク製品を普及させる運動です（175ページ参照）。牛肉消費は気候変動の主原因の一つであり、アメリカなどの国が膨大な牛肉を消費していることは大きな問題と言えます。しかし、ビヨンド・ミート社やインポッシブル・フーズ社は、「地球を救うために、代替肉を買ってください」と人々を説得しません。彼らの成功は、「自分たちの製品は牛肉と同じかそれ以上の味で、牛肉の隣に並べて売り、消費者にどちらがよいか選んでもらう」というスタンスにあるのです。

同様のことは、テスラなどの電気自動車についても当てはまります。ユーザーは地球環境のために自分を犠牲にして電気自動車を買うのではなく、速い車だからという理由で電気自動車を選んでいるのです。

――これまで「ループ」が導入されてきた、あるいは導入が予定されているのは先進国です。途上国で「ループ」を運用することは難しいのでしょうか。

ザッキー　「ループ」のような持続可能性を目指すイノベーションを途上国にもたらすことは、非常に重要です。なぜなら、これらの国々も大量消費主義へと移行しつつあるのに、廃棄物の管理体制は未発達で、このままいけば、ごみ危機や海洋プラスチック汚染はより深刻化することが予想されるからです。

この問題を解決するためにも、われわれはまず「ループ」の導入が容易な国々で運用を開始し、必要なノウハウやデータを集めようと考えています。また、途上国にも「ループ」を導入する仕組みづくりに向けて、われわれは世界経済フォーラムの支援のもとで、「ループ・アライアンス」という組織を2019年に設立しました。この組織には大手消費財メーカーや小売業約100社が参加しており、世界的大企業のサポートも得ています。

買い物は未来への〝投票〟

――科学者たちは、今後10年が地球にとって非常に重要だと訴えています。2030年までに私たちに何ができると思いますか。

ザッキー 多くの科学者たちが警鐘を鳴らしているように、私たちはいま、大きな転換期にいます。過去100年における歴史の主要な出来事は二つの世界大戦や公民権運動といった、「人間同士の緊張」によって特徴付けられてきましたが、21世紀は、地球環境問題によって特徴付けられることになるでしょう。

生き残る動物はどれくらいあるのか。生物多様性はどうなるのか。地球はどれくらい暑くなるのか、あるいは寒くなるのか。環境は住みよいものになるのかどうか。これらすべてが、21世紀を生きる私たちにとっての重要な問いになるのです。

気候危機対策については「5年後までに」「10年後までに」などと言われますが、「もう時間はない」と思うべきです。WWF（世界自然保護基金）が「私たちは過去50年間に地球上の生物多様性を

50パーセント減らし、それは元に戻ることはない」と報告しているように、私たちはすでに修復不可能なほど甚大な損害を地球にもたらしています。

私たちは現状を直視することを先延ばしせず、「正しい方向に小さな一歩を踏み出すためには、いま何をなすべきか」と自らに問わなければなりません。もしそうしなければ、私たちの子どもの世代は自分が引き起こしたのではない、数々の深刻な問題に苦しむことになるでしょう。

私たちの行動の影響は、遠く離れたところに生息する動植物に及びますが、私たち自身が危機の影響を直接受けてはいません。そのため、直面している危機を日常的な場面で捉えることは非常に難しく、この問題について考えることは、「家族を養わなければならない」などの理由でしばしばないがしろにされます。

私たちが気候危機問題に目覚めるためには、ハリケーンや津波などの自然災害によって、繰り返し教えられる必要があるのかもしれません。痛みを伴うこうしたことすべてが、私たちや私たちの子孫の行動を強制的に変えさせることになるでしょう。

一方、循環型経済というシステムを採用することによって、私たちは自主的に行動を変えていくこともできます。大量生産・大量消費社会との関係を見直し、より痛みの少ない方法でバランスを取る方向へと舵を切るのです。

環境というものは非常に複雑で、あるところではよい影響を及ぼすものが、別のところでは悪い影響を及ぼすことがあります。そして、その複雑さを理解するのは非常に困難ですが、私たちが変化をもたらすためにまず行うべきことは、次の一言に要約できます。

それは、買うものを減らすことです。何かを買おうと思ったとき、「今日は買わない、明日にしよう」と言うのです。そして次の日、「買おうとしているものは、自分にとって本当に必要か」と問うのです。これは誰にでもできる、非常に簡単なことで、特にミレニアル世代（1980年から1995年にかけて生まれた世代）などの若い人たちに、こうしたライフスタイルを受け入れる傾向が見られます。

もちろん、消費依存から抜け出すのが難しいことは承知しています。大量消費のライフスタイルは薬物依存症と非常に似ており、依存することで短期的な幸福感が味わえます。しかしその後、悪影響が出ることを忘れてはいけません。薬物依存症の悪影響は身体に現れたあと、友人や家族などとの人間関係にも及び、そこでようやく薬物依存症患者は目覚めて、変わろうとします。消費依存で悪影響が現れるのは私たちの身体でも人間関係でもなく、私たちが暮らす地球であり、おそらく、私たちがこの依存から脱するまでに非常に多くの大災害を経験しなければならないでしょう。しかし、私たちがいま行動を変えれば、子どもたちが経験するであろう地球からの負の圧力を減らすことができます。

大量消費主義のライフスタイルを続けながら、環境保護に力を注ぐことは不可能です。自分のすべての消費行動について環境によいかどうかを考えなくてはならないのはとても消耗しますが、そのようなことをしなくても環境によい行動をすることはできます。最も簡単なのは、一歩下がって、環境に負荷をかける行動を減らすことです。買い物はその一つです。

――あなたは「選挙の投票より、買い物の方がパワフルな“投票”だ」とおっしゃっています。このことについて、くわしく説明してもらえますか。

ザッキー　もちろん、誰が次の首相や大統領になるかも非常に重要な決定ですが、多くの人にとっては選挙で投票しても結果を変えることはできません。一方、私たちは1日に何度も買い物という方法で、企業を変え、社会を変える投票を行っています。私たちがAという商品を買わなくなれば、Aは存在しなくなります。Bという商品を買い始めたら、Bが存在し始めます。企業は、消費者が望むものを提供しようとするからです。

私は旅行に行くとき、現地のスーパーマーケットで、どのような商品が棚に並んでいるか、またどれくらいの量の商品が販売されているかを見るようにしています。「人は食べるものによってつくられる」と言いますが、スーパーマーケットの品ぞろえは、その国の人々がどのように経済的投票を行っているかを表す鏡です。

問題は、どれほどの人がそのことを理解してものを買っているのか、ということです。もし、大統領選についてあなたが誰かと話していて、その人が「投票には行ったけれども、候補者がどんな人かは調べなかった」と言ったら、ショックを受けるでしょう。買い物も同じです。「どういう商品なのか、どういう会社の商品なのかを理解せずにものを買う」ことは、選挙の際に候補者の公約や人柄を知りもせずに投票するようなものです。

たとえば、動物からつくられた製品を買うことは、その動物の死に1票を投じることを意味します。そうした製品を買ってはいけないわけではありませんが、買い物には責任が伴うのですから、自分が何を求めているのかを理解して、買い物をしてほしいと思います。私たちは買い物によって将来の世界をつくっています。ですから、持続可能な社会の実現に対し、どのように〝投票〟するかを考えなければなりません。

現代の大量消費社会において、私たちは買い物をするたびに、もっと採掘し、もっと農業生産をし、もっと運搬することを促して「地球に負担をかける」方に投票しているわけですから、具体的には、買い物の量を減らすか、より長く使える質のよいものを買うことを選択しなければならないと言えます。

「買う量を減らせば、ビジネスに悪影響を及ぼすことになる」と言われます。確かに、現代のビジネスは株主に利益を提供し、可能な限り成長するものとみなされていますが、永遠に成長し続けることはできません。利益の追求だけではなく、地球という有限のシステムにかかる負荷も考慮しなければならないことは資本主義における最も重要な課題です。「自分と買い物との関係」を新たに認識した人々のあいだから、自発的な変化が起こる可能性もあるでしょう。企業は、こうした人々のニーズにどう反応すべきかを考えることが必要です。

「woke」を波及させよ

――買い物以外に、地球の危機の進行を遅らせたり、軽減させたりする方法はあるでしょうか。

ザッキー　特効薬はありませんが、私たちは皆、正しい方向に一歩を踏み出すことができます。その集団行動こそが、世界を早急に変えることができるのです。

気候危機のような大きな問題を前にすると、私たちは「個人は無力だ」と感じます。しかし、個人を通した集団行動によって生み出された文化の変容が、法規制を変更し、企業活動を変えていきます。ですから、まず自分の行動を変えることから始めなければなりません。そして、友人やさらに多くの人々に刺激を与え、社会的運動を生み出すために何ができるかを考えるのです。それがかたちになればビジネスは反応し、消費者に選択肢を与えます。

私たちは非常に多くの問題に直面しており、できるだけ包括的な方法でそれらの問題に目を向けることが必要です。参加者が多様であればあるほど多くのイノベーションが起こるのですから、性別や民族に関係なく多くの人々に地球危機問題の解決に参画してほしいと思いますし、どんな人にもそれぞれ果たせる役割があります。

政治家であれば、法的枠組みを改正して循環型経済にインセンティブを与え、直線型経済の意欲を削《そ》ごうと、呼びかけることができます。企業で働く人々は、破壊的な方法でつくられた製品ではなくリサイクル・リユース製品に消費者が投票できるよう、選択肢を提供することができます。

近年、「woke（さまざまな社会問題に目覚めているという意味のスラング）」という言葉がトレンドになっていますが、パラダイムシフトはすでに起きつつあります。重要なのは、エリート主義に陥らず、また自分たちのグループだけでのwokeにとどまるのではなく、異なった生き方をしている人々へも波及させていくことです。持続可能性を目指す運動は皆と一緒に行わなければなりません。持続可能性に反対する人々や気候危機を信じない人々にも参加してもらわなければ、私たちは目標を達成できないからです。

意見や考え方が違う人々にアプローチするときには、まずその人の身になって考え、その人が世界を見る観点を尊重することが必要です。そのうえで、「私が大切に思っている考えがその人にどのような利益をもたらすのか」を説明します。たとえば、私はベジタリアンで個人的には狩猟に反対していますが、肉食が大好きで週末に狩りをする人と、彼を否定するためだけに論争したところで、摩擦が起こるだけです。しかし、「より持続可能な社会システムを採用すれば、動物はもっと増えるのだ」と説得することは可能でしょう。つまり、相手の観点を認識することが共有できる枠組みづくりの出発点であり、そこから解決策を探ることができるのです。

残り時間はわずかになっています。「小さな変化は違いをもたらさない」と考えがちですが、小さな一歩は非常に早く増幅します。「自分の行いが影響を及ぼす」ことに気づくだけでも、正しい方向へと一歩を踏み出しているのです。

未来への展望

〝プラスチック依存社会〟からの脱却を目指して

三木健太郎

現在、外洋に回収ネットを張り、海面上のごみを回収する試みが盛んに行われている。しかし、広大な海をくまなく探索し、深海に沈むプラスチックごみまですべて回収するのは、時間的にもコスト的にも非現実的である。ましてや5ミリ以下のマイクロプラスチック、細菌レベルのナノプラスチックの回収ははっきり言って不可能。これ以上、プラスチック問題を悪化させないためには、〝プラスチック漬け〟となった社会の〝体質改善〟こそ早急に実行されなければならない。

まず必要なのは、〝リサイクルという幻想〟との決別だ。

日本でのプラスチック処理方法については、単純焼却8・2パーセント、埋立7・7パーセント、残り約85パーセントがリサイクル、というデータがある。しかし、リサイクルのうち56・3パーセントは、焼却時に発生する熱エネルギーを発電に生かす「熱回収」という仕組みが占めている。つまりは焼却処理である。

日本ではこの熱回収に、「サーマルリサイクル」という造語が当てられている。一般に、廃棄物を別の製品として使うことがリサイクルとされているが、プラスチックを焼却しても温室効果ガスが発生するだけで、新たなプラスチック製品ができるわけではない。熱回収は、リサイクルとは呼べないのだ。「サーマルリサイクル」の名のもとに、〝大量消費・大量焼却〟が進められてきたのが日本のプラスチック政策の問題の一つと言える。

また、プラスチックごみの焼却の際にはダイオキシン等の有害な化学物質も発生する。その低減には、建設・運営に多大なコストがかかる高性能な焼却炉が必要となるが、高温でごみを燃やすので炉の傷みも早く、30年ごとに建て替えなければならないという。現在のプラスチック産業のあり方が本当に持続可能なものなのか、いまこそ立ち止まって考えるべきだろう。

ペットボトルやトレーなど、包装容器のリサイクルも技術革新が進んでいるが、コストがかかるだけでなく、リサイクルを繰り返すほどその強度は劣化していき、逆にマイクロプラスチックを生み出しやすくしているという指摘もある。

では、私たちが最優先で行うべきことは何か。答えはリデュース（削減）だ。

プラスチック削減の基本方針として、リデュース、リユース（再使用）、リサイクルの頭文字を取った「3R」をご存じの方も多いだろう（「購入拒否」を意味するリフューズを加え、「4R」とする場合もある）。実はこの順番にも明確な意味がある。最初のリデュースが最優先事項、社会に出回る総量自体を減らすことが何よりの解決策なのだ。

分別して捨てたつもりでもごみ箱から溢れたり、カラスなどにつつかれて漏れ出したりすることもある。「ごみ箱に捨てているから平気」ではなく、「使ったプラスチックは環境中に漏れ出してしまうもの」という前提に立った行動が求められる。私たちが心がけるべきは、使い捨てプラスチックの使用そのものを極力控え、環境中に出る総量を減らすこと。それこそが、プラスチック汚染という難病を〝根治〟するための本質的な治療法なのだ。

2020年7月から日本でも始まったレジ袋の有料化、スターバックスの紙ストロー、無印良品のペットボトル全撤廃もこうした背景に基づくものだ。身近で起きている脱プラスチックへの変化を敏感に感じ取り、自分なりの仕方で〝プラなし生活〟に挑戦してほしい。

プラスチックごみで建設される学校

すでに地球上に溢れ出たプラスチックごみとは、どう向き合っていけばいいのか。先進国のように処理施設が整備されている国と発展途上国では事情が異なる。今回、われわれは深刻なごみ問題に悩まされている、西アフリカ・コートジボワールを取材した。その取り組みは、問題解決のヒントとなるものだった。

コートジボワールで、最も開発が進んだ都市・アビジャン。高層ビルが建ち並ぶ、同国の経済・金融の中心であり、港に面した片側3車線の道路は車がせわしなく往来する。〝西アフリカのニューヨーク〟とも呼ばれる大都市だ。

しかし道ばたに目をやると、散乱したプラスチックごみに虫がたかり、郊外へ足を伸ばせば、不法投棄によってできたごみ山が散見される。このアビジャンの〝プラスチック禍〟を打開しようとするのがユニセフ（国際連合児童基金）である。プラスチックごみからレンガをつくり、そのレンガで教室を建設するというプロジェクトを立ち上げたのだ。

アビジャンで発生するプラスチックごみは、1日280トン。そのうちリサイクルされるのは、わずか5パーセントにとどまっている。貧困地の廃棄場などで野ざらしにされた残りのプラスチックごみは、不衛生な生活環境をもたらし、感染症やマラリアの原因となっている。

また、コートジボワールは他のアフリカ諸国の例に漏れず、教育の機会不均等などさまざまな社会問題を抱えている。国全体で160万人の子どもたちが教育を受けることができず、2025年には3万もの教室が足りなくなると言われている。貧困問題も深刻化しており、プラスチックごみを収集して、リサイクル用に売った最低賃金（日本円でひと月約7000円）以下のお金で生計を立てる女性も少なくない。

ユニセフのプロジェクトには、これらの問題を一挙に解決する、〝一石三鳥〟のねらいがある。第一に、不適切に廃棄されたプラスチックごみを回収して環境を美化すること。第二に、学校を建設して子どもたちの教育環境を整備すること。そして最後に、ごみ回収による安定した収入を住民に保証して暮らしの向上に寄与することだ。

回収されたごみは、コロンビアのリサイクル企業コンセプトス・プラスティコス社がアビジャンにつくった専用リサイクル工場へ運ばれ、粉々に粉砕される。それを熱処理し、型にはめて柱状の塊を押し出し、レンガのサイズに裁断すれば完成だ。このプラスチックのレンガは軽いためもち運びも簡単、落としても簡単に割れない丈夫さも兼ね備えている。

組み立てしやすくするため、レンガは互いにかみ合うよう凹凸が付けられている。工場の責任者、ステファン・ヤオ氏は、「特別な訓練はいりません。組み立て方は半日あれば十分覚えられます」と、自慢気にレンガの特徴を語っていた。

泥の壁とビニールシートの屋根でできていた小学校が、プラスチックレンガの校舎へ変わった。環境が整ったおかげで、勉強に集中する子どもも増えたという。

取材に訪れた小学校の校長は、プラスチックレンガでできた校舎の壁を優しくなでながらこう言った。

「見てください。この革命は私たちの誇りです。ごみだと言われていたものがレンガとなり、小学校ができました。見ているだけで感動します」

捨てられていたごみが価値ある資源へと変わり、学びの場の質の向上にもつながった。この仕組みがシステム化され、他の国でも広がれば、発展途上国のさまざまな問題を解決する糸口になるのでは――子どもたちの生き生きとした笑顔に、胸が膨らんだ。

直線型から循環型へ

プラスチック問題の解決策として最優先とされる、リデュース。ワイゼン姉妹の「バイバイ・プラスチックバッグ」はその代表例だ。トム・ザッキーが考案した「ループ」のように、ものをリユース（再利用）することも、今後、ますます必要になっていくだろう。しかし、身の回りにプラ

循環型経済（リサイクルと再資源化の違い）

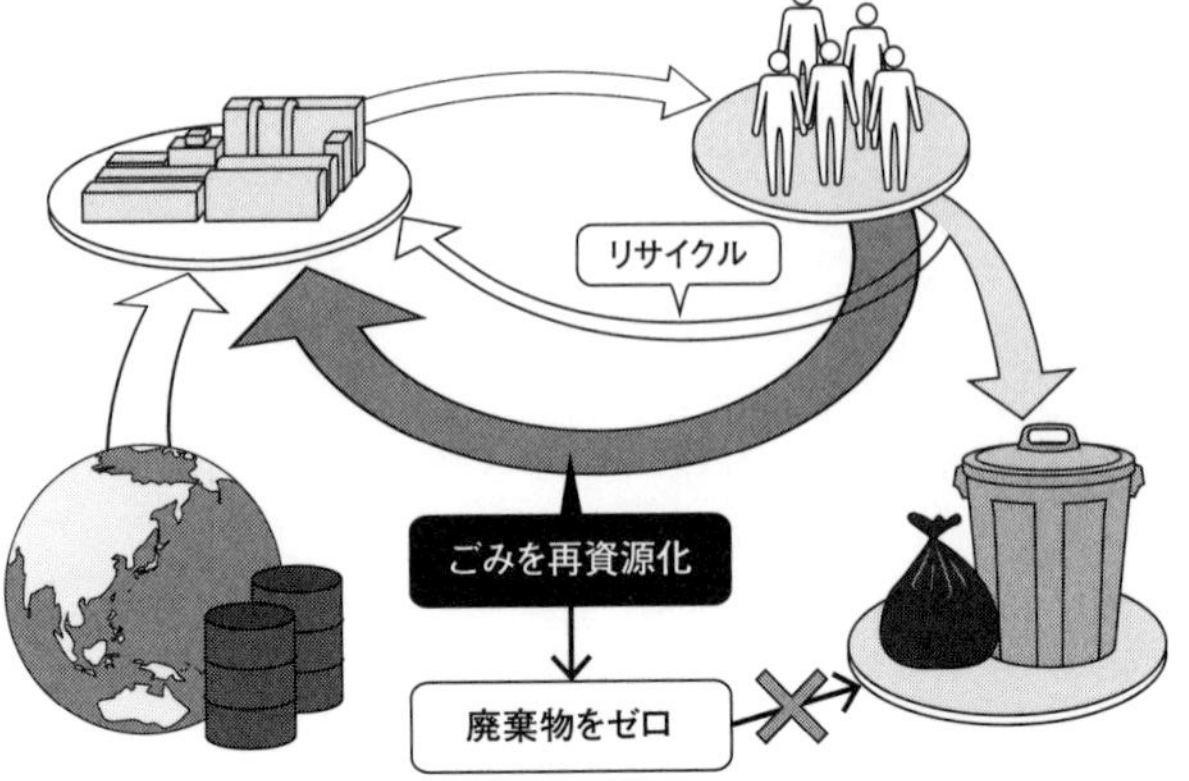

スチックが存在し続ける限り、問題解決は一朝一夕にはいかない。大量生産・大量消費が染みついた現在の産業構造からどのように脱却していけばいいのだろうか。

産業革命以降、人類の発展を支えてきたこれまでの経済システムは、①石油・石炭などの資源を採掘　②資源を使って大量の製品を製造・販売　③使い終わったら廃棄、という一方通行の直線的な仕組みだった。これを「直線型経済（リニアエコノミー）」という。この仕組みでは、いずれ限りある資源は枯渇し、近い将来、限界が訪れる。

こうした〝持続不可能〟な経済システムの代替モデルとして注目を集めているのが、「循環型経済（サーキュラーエコノミー）」だ。これは、①資源を採掘　②製品を製造・販売　③使用後に回収し、再度利用する、というように資源を循環させ続ける仕組みのことを指す。

リサイクルと混同されやすいが、リサイクルは〝廃棄物を出すことが前提〟で、廃棄物の一部だけ循環させているのに対し、循環型経済では、〝設計段階から回収することを前提〟につくられ、すべての資源を「つくる→使う→つくる→使う」という円の中で循環させていく。

また、①のプロセスについても資源を新たに採掘するのではなく、可能な限りごみを再資源化したものを使い、廃棄物をゼロに抑えることを目指す。

スウェーデンに拠点を置く、家具・雑貨の世界的な量販チェーンであるイケアは、循環型経済への移行を進める企業の代表格だ。2030年までに、商品に使用されるすべての材料を、リサイクルまたは再生可能な素材へ100パーセント切り替えるという野心的な目標を宣言した。これを達成するため、イケアでは「サーキュラーチーム」と呼ばれるコアグループが既存の1万以上の製品について一つひとつチェックを行い、改善を始めている。

たとえば家具は、傷みやすいところがある程度決まっているため、古くなった家具を回収して、使用できるパーツはもう一度使えば、新規の材料を大幅に減らせることにつながる。クッションやカーテンなどは、ペットボトルを原料とした再生素材にしたり、子ども用の食器は環境負荷の少ないトウモロコシやサトウキビなどを原料にしたりする。また、家具の規格を製造段階から他の製品とそろえることで、「回収→分解→再利用」しやすくするなど、設計から見直す作業が続けられているのだ。すでにイケアでは、およそ6割の商品に再生可能な素材が使用されており、2030年の完全移行へ向け、その勢いは増している。

〝環境の破壊者〟ファッション業界の変革

ファッション業界も、循環型への移行に動いている。実は、衣類に使われるナイロンやポリエステルなどの繊維は、世界のプラスチック生産量の約14パーセントを占めている。また、洗濯のたびにマイクロプラスチックが発生し、年に50万トンが海や川へ流出しているという試算もある。ファッション業界は〝環境の破壊者〟と厳しい目を向けられるようになっており、循環型への変革が急務とされる。

変化の兆しが見えた世界的な出来事がある。2019年8月、フランスのエマニュエル・マクロン大統領が音頭を取り、「ファッションパクト」という協定が結ばれたのだ。気候変動、生物多様性、海洋の3分野における、実践的な目標を世界的なファッションブランドが協力して達成すると宣言したのだ。アディダスやナイキ、H&M、シャネル、アルマーニ、プラダ、フェラガモなど32社が参加を表明。2021年7月時点で70社以上に増えた。

こうしたファッションブランドのあいだで注目されている新素材がある。漁網や使い古したカーペットなどの廃棄物からつくる再生ナイロン「エコニール（ECONYL）」だ。イタリアのスタートアップ企業アクアフィル社が開発したもので、加工の過程で使う溶剤にも毒性がないとされるものを選んでおり、また、何度でも再生利用できることから、〝素材循環〟のモデルの一つになると考えられている。

今回のファッションパクトを牽引したケリンググループでは、同グループの代表ブランド・グッチの製品に、再生ナイロンを使用。取材した表参道店には、エコニールを使った洋服や、靴、バッグ、財布などが大きなスペースを取って並べられていた。ケリンググループは時代の先をにらみ、こうした取り組みを重要なイメージ戦略と位置付けている。

チーフ・サステナビリティ・オフィサーのマリー＝クレール・ダヴー氏は、そのねらいを次のように語った。

「天然資源の枯渇という観点からも持続可能性の考えは重要で、企業の発展にも不可欠です。若い世代は特に環境問題に敏感ですから、その需要に応えることも必要です」

企業も、「安さ・便利さ」を追求する時代は終焉を迎え、製品の〝その後〟を考えたものづくりをしないと選ばれない、生き残れないことに気づき始めている。

循環型経済へ移行するためには、私たち一人ひとりの意識改革が不可欠だ。ものを買うとき、ものを消費しようとするときには、〝使用後〟を想像することが求められるようになるだろう。

世界のプラスチック生産量の商品別内訳

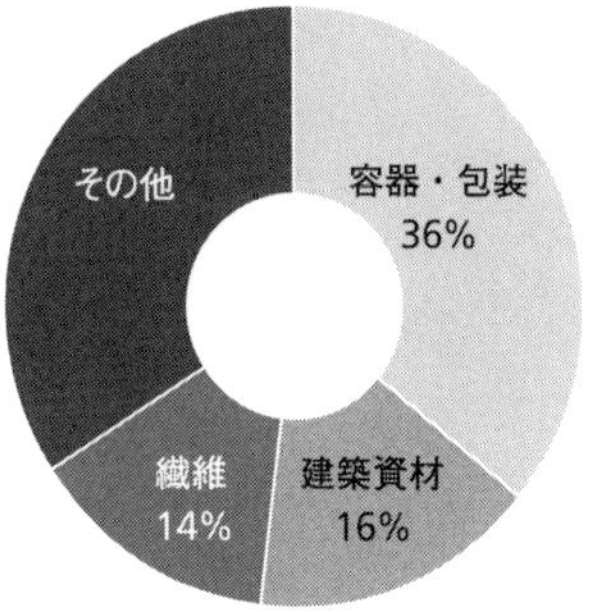

データ出典：Production, use, and fate of all plastics ever made Geyer, Jambeck, and Law, 2017

あなたがいまから、できること

2020年9月、2040年までに環境中に排出されるプラスチックの総量についてのシミュレーションが発表された。

次ページのグラフが、その結果だ。「現状維持」、つまり、何も策を講じなかった場合、「リサイクル」を徹底した場合、そして「あらゆる手段」を講じた場合の三つのパターンでの予測である。

まず、「現状維持」を見ると、当然ながら右肩上がりにプラスチックごみは増え続けていく。では、「リサイクル」を徹底した場合はどうか。残念ながら45パーセントの削減にとどまる。しかし、「あらゆる手段」を講じると、なんと78パーセントの削減が可能というシナリオが導き出された。

「あらゆる手段」というのは「リサイクル」に加え、「適切なごみ収集・処理」「使用量の削減と代替材料の開発」を進めることを指す。要するにプラスチック問題は、企業や自治体がリサイクルの仕組みを整備すれば解決するという単純なものではなく、一方で、個人が削減に挑めばそれでOKというわけでもない。社会の変化と、個人の変化が両輪となってはじめて、〝プラスチックアース〟から逃れる道が現実味を帯びていく。

このシミュレーションを行ったPEW財団のウィニー・ロウ氏は、われわれの取材に対し、その変化にスピード感が重要だと切迫感をもって訴えた。もし、「現状維持」だと、2021〜2040年の20年間で、3・9億トンのプラスチックごみが海や川へ流出するというのがロウ氏の試算だ。「あらゆる手段」を10年後の2030年から講じたとしても、2040年には3億トンに

環境中に流出するプラスチックについてのシミュレーション

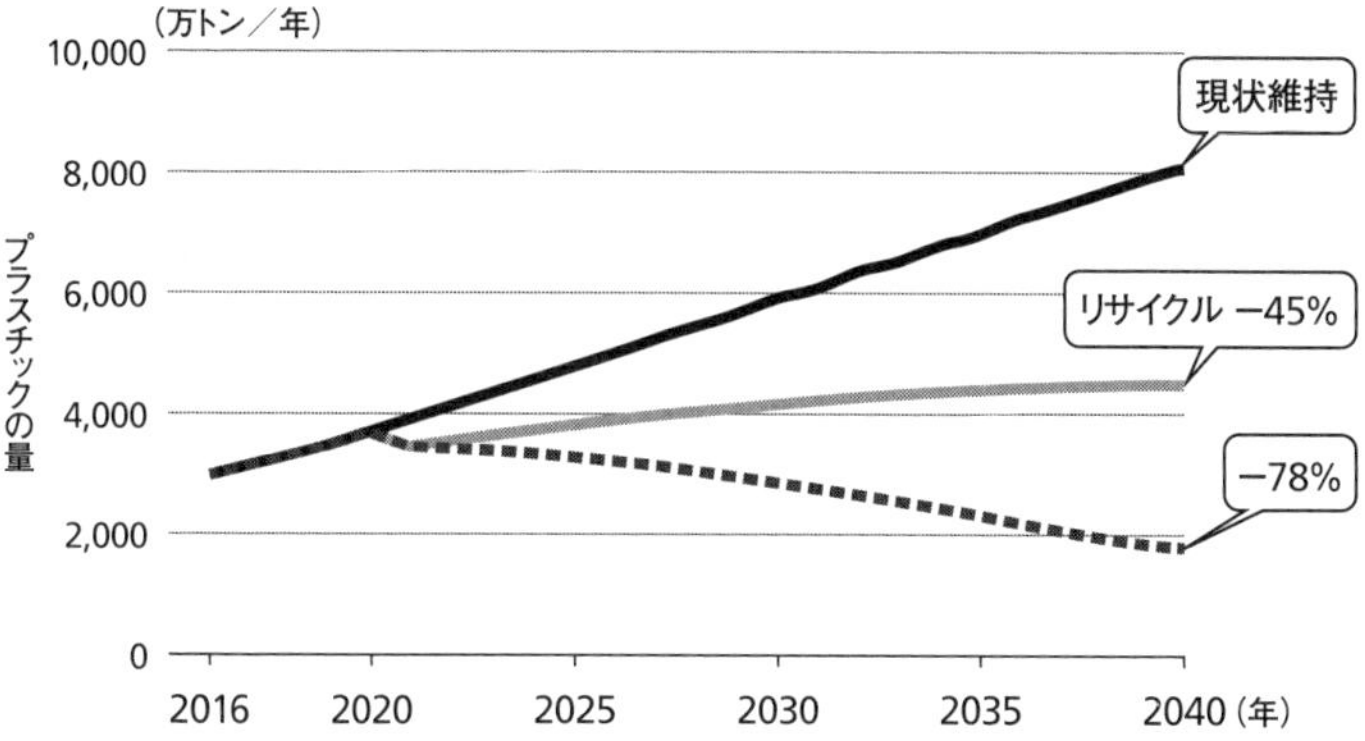

出典：Evaluating scenarios toward zero plastic pollution, Winnie Lau - The Pew Charitable Trusts 2020

までしか引き下げられない。しかし、いますぐ行動を起こせばどうだろうか――。結果は、１・６億トンと大幅に削減された。つまり、わずか10年の遅れで２０４０年の地球には、１・４億トンものプラスチックが蓄積してしまうのだ。

「この10年間は極めて重要です。解決策を実行するには、時間がかかるからです。政府が議案を可決し政策を実施するにも、企業がビジネスの仕組みを転換するにも時間を要します。開始が10年遅れれば、その後の10年に必要な成功の土台がつくれません。これは大きな差です。だからこそ、解決への行動をいますぐ始めることが重要なのです」

50年後の未来を想像してほしい。私たちは、あなたの子や孫は、どんな空気を吸い、水を飲み、食べ物を食べて暮らしているだろうか。

いまこそ変化のときなのだ。環境問題となると窮屈に感じてしまう人が多いかもしれない。「新たなライフスタイルにチャレンジ！」くらいの気持ちで十分で

環境中に流出するプラスチックの総量

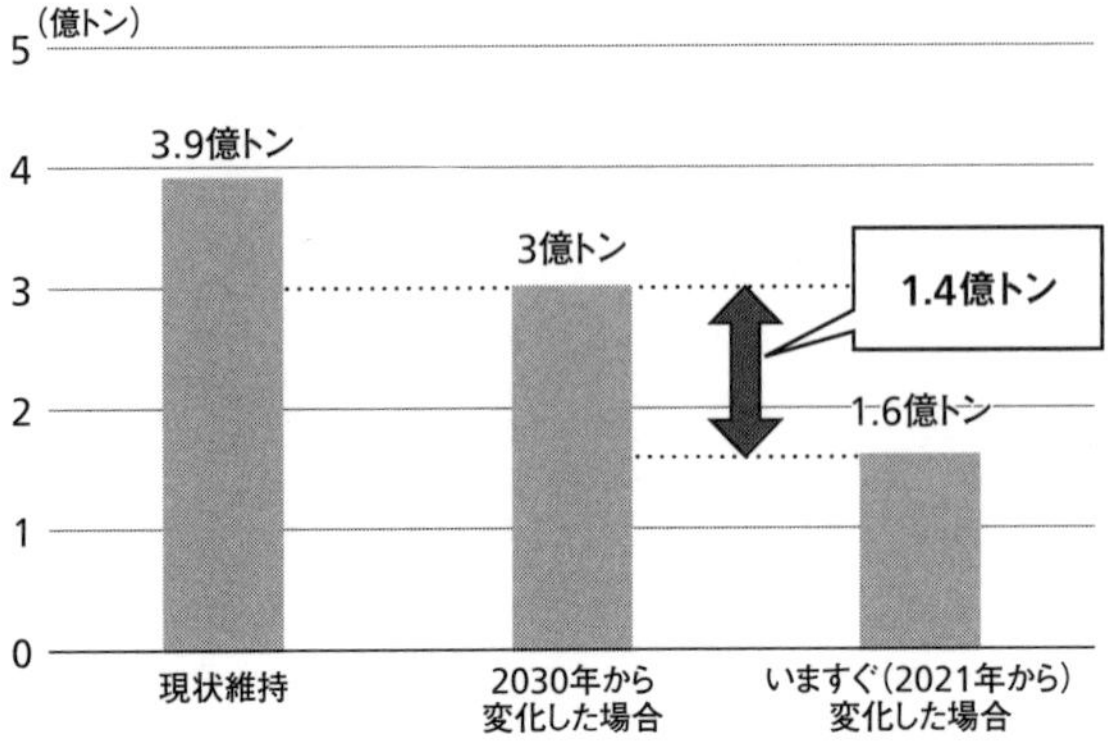

ある。

たとえば、エコバッグ。オシャレなデザインのものを選んで買い物の気分を高めるもよし、1枚3円のレジ袋を極力使わないことでエコバッグ貯金してみるのも悪くないだろう。

ペットボトルをマイボトルに変えるのも、シンプルだが明日からできることだ。日本でも給水器が増え、その場所を示すアプリも開発されているのでチェックしてみたらどうだろうか。

天気のよい日は、川沿いや浜辺でごみ拾いをしてみるのもオススメだ。研究者の試算では、ペットボトル1本拾うだけで北太平洋の1平方キロメートルに散乱する10グラムほどのマイクロプラスチックを回収したことになり、レジ袋1枚拾うだけで数千個から数万個のマイクロプラスチックの川や海への流入を未然に防いだことになる。

20年以上、埼玉から東京へ注ぐ荒川のごみ拾い活動を継続しているNPO法人・荒川クリーンエイド・フォーラム。地道な清掃活動を通じて、ごみ問題の解決を目指している。

私も荒川河口域のごみ拾い活動に参加したことがある。地面を掘り返したところ、ボロボロになったマイクロプラスチックと土が同じ割合で混ざり合ってることに気づいて愕然《がくぜん》とした。

理事の今村和志《いまむらかずゆき》氏に、「もはや、回収は不可能なのではないか」と感じたことを率直に打ち明けた。今村氏は私の話に耳を傾け、誠実に答えてくれた。

「ごみ拾いは完全な〝無力〟ではなく、〝微力〟です。でも、その微力が集まれば、大きな力になります。人間がつくった問題は人間にしか解決できないというのが、私の考えです。自分たちの活動がその解決策の一つになってほしいと願っています」

〝プラスチック依存社会〟からの脱却は、容易ではない。しかし、私たちがいまと同じライフスタイルを続ければ、生態系の破綻が引き起こされるリスクは増すばかりだ。そしてそれは、回り回って自分たちの首を絞めることにつながる。

私たちの選択一つひとつが、最悪の事態を回避するための、何よりの力になる。コンビニで買い物をするとき、自動販売機で飲み物を買うとき、ゴミを捨てるとき、その行方に想像力をはたらかせ、1秒だけ立ち止まる。その積み重ねがいずれ社会を変えるうねりとなり、地球の未来を変える原動力となるはずだ。

特別寄稿

未来へ向けて大きな選択を

国谷裕子

今日もテレビは命に危険のある暑さを警告している。頻発する豪雨、大洪水や熱波、乾燥による激しい山火事を伝える報道は珍しくなくなった。それでもこの夏（2021年7月）、カナダのリットンという村で記録した最高気温49・6度には衝撃を受けた。温暖化による気候変動は、いまや気候危機、そして「プラネタリー・クライシス」と呼ばれるほど地球規模で深刻化し、自然災害や干ばつの影響により住み慣れた地域を離れざるをえない気候難民は次第に増加している。

より豊かな生活を追い求める人間社会は、1950年代以降、先進国において高度経済成長を実現させた。さまざまな商品も食べ物もあり余るほどつくられ、消費され、そして大量の廃棄物が生み出されてきた。しかし、私たちが手にしたその豊かさは、気がつかないうちに地球がもっているレジリエンス（回復力）をはるかに上回る過度な圧力を地球に負わせていたのだ。いま、その負荷は、自然災害の激化など自然から突きつけられる痛みとなって人間に返ってきている。その痛みの大きさを直視せざるをえなくなったいま、これまで追い求めてきた〝豊かさ〟のあり方を転換できるかという、極めて困難な課題に向き合い、挑戦していかなくてはならない。

報道の最前線に長いあいだ身を置いてきた私は、自然が人間社会に牙を向けている現象を「異常気象」という言葉で語り、自然から静かに発せられている「生物多様性の減少」というメッセージについて繰り返し伝えてきた。しかし、これらが地球によって発せられている〝悲鳴〟であるという認識はなく、目の前で次々と起きる事態に目を奪われ、進行していた地球のレジリエンスの喪失という危機への気づきはなかった。私たちが手にしている〝豊かさ〟に対する地球からの警告になぜもっと早く真剣に耳を傾け、問いかけができなかったのか、改めて思う。


23年続けた「クローズアップ現代」を離れてからの6年、持続可能で、誰一人取り残さない社会を目指して2015年に国連で採択されたSDGs（持続可能な開発目標）と、同じ2015年に合意されたパリ協定の取材や啓発活動を続けてきた。

この活動に集中的に取り組もうと思ったきっかけは、番組の最後の年に国連を取材したことに始まる。SDGsの重要性を端的に伝えてくれたのが、SDGsのとりまとめに奔走した現在の国連副事務総長アミーナ・モハメッドさんだった。彼女は故郷ナイジェリアで起きている環境、社会、経済の〝負のスパイラル〟について悲しそうに話したあと、私にこう言った。

「地球は私たちなしでも存在できるが、私たちは地球なしでは生きていけない」

この言葉から受けた衝撃が、その後の私の仕事の方向に大きな影響を与えた。そして、SDGs

の取材を進めるなかで学んだ「プラネタリー・バウンダリー」という考え方と、その提唱者である環境学者ヨハン・ロックストローム博士との出会い。博士は、地球で人間が安全に活動できる範囲を示す「プラネタリー・バウンダリー」は、すでに気候変動、生物多様性の損失、窒素やリンのバランスなどの分野で、安全な領域をすでに超えており、私たち人間は、いわばガードレールを乗り越え、崖から滑り落ちる可能性のある危険域にいると伝えてくれていた。

今回のインタビューでのロックストローム博士の言葉はさらに重くなった。「このままいけば、地球環境は悪夢と化す」と地球が熱帯の惑星になる可能性を警告し、大胆な軌道修正をすぐに始めなくてはならない、これからの10年が人類の将来を左右する決定的な期間であることを強調した。

2015年に国連で合意された17のSDGsを含む、「我々の世界を変革する：持続可能な開発のための2030アジェンダ」には、「我々は地球を破壊から守ることを決意する」「我々は地球を救う可能性をもつ最後の世代になるかもしれない」とあり、アジェンダ全体に強い危機感が流れている。しかし、世界を合意に導いたこの危機感は、SDGsの採択からすでに6年たったいまも、大胆な変革や行動変容にはつながっていない。大気中の二酸化炭素の濃度が上昇を続けていることが象徴しているように事態はより深刻化しているのだ。

私たちはなぜ、ここまで危機的な状況に自らを追い込んでしまったのか。

世界規模での大量生産、大量消費は、人々の生活水準を向上させ、また途上国の多くの人々が貧困や飢餓から抜け出すことを可能にした。しかしその一方で、あたかも地球のレジリエンスは無限であり、地球資源も無尽蔵で、経済成長はいつまでも続くとの神話を生み出してしまった。それに加えて、冷戦が終わり、グローバル化の波が本格化するとともに、安さと効率の追求が最優先となり、熱狂とも言えるコスト競争はものの価値を一変させた。ものを長く大事に使うのではなく、使い捨てが当たり前になっていった。自分の暮らす場所から遠く離れた地域で安く大量にものや食料が生産されるようになるなかで、環境や人間への負荷は見えにくくなり置き去りにされていった。「クローズアップ現代」の放送が始まった1993年ごろから、中国が〝世界の工場〟として脚光を浴び出し、番組で何度も驚くべき価格破壊について伝えた記憶がよみがえる。こうした〝安さの追求〟が続くなか、一層、大量生産、大量消費、大量廃棄に拍車がかかり、人類は地球のレジリエンスを損ない続けてきた。

私たちはいかにしてこの危険な軌道から抜け出し、将来100億近くまで人口が増加する地球を、そして人間社会を持続可能な方向に修正することができるのか。SDGsが目指す変革は多岐にわたるが、私は、三つの変革が、最も急がれる重要課題だと思っている。

一つは、気候危機を拡大させないための脱炭素社会への変革、二つ目が、資源消費のあり方を抜本的に見直して地球のレジリエンスを維持するための循環型経済への変革、そして三つ目として、農地を広げないなど地球環境にこれ以上負荷をかけずに、増加する世界人口に十分な食料供給を可能にする食料システムへの変革だ。

いずれの変革も、その根底に「誰一人取り残さない」というSDGs理念が貫かれていなければならない。今回のNHKスペシャル・シリーズ「2030 未来への分岐点」において焦点を当てたのもこの三つの課題だった。

本書は、番組のメッセージを伝えるキーパーソンへのインタビューを織り込んで構成されている。改めて、インタビューで伝えられた重要なメッセージを振り返ってみたい。

科学的知見の重要性

科学的なエビデンス、情報をしっかりと受け止め、科学が指摘しているリスクに基づいて行動することがいかに重要か。ヨーロッパ委員会第一副委員長のフランス・ティメルマンス氏に、なぜEUは2030年までの炭素排出削減目標を40パーセントから55パーセントに引き上げたのかを尋ねたとき、彼はきっぱりと「科学」と答えた。目標を上げなければパリ協定の約束は守れないとの科学的知見からの引き上げなのだ。ロックストローム博士も、「1・5℃」目標は、政治的に選択された数値ではなく、科学的エビデンスからの結論であることを強調する。そしてWRIのクレイグ・ハンソン副所長は、科学者からの「正しい信号」が伝わっていないことを警告していた。

残された時間は少ない

キーパーソンたちに共有されているのが、時間がないとの危機感だ。「1・5℃」に抑えるために残されたカーボン・バジェットから計算すると、このまま二酸化炭素の排出を続ければ、私たちに残された時間は8年しかないというロックストローム博士の言葉は、まさに科学的知見に基づく危機感から生まれたものだ。

そして、ハンソン氏が、人々は何度も危機が迫っていると警告されても、家の玄関まで危機が迫るまで行動しないと語っていたことも記憶に残る。危機を身近に思えるようにしなければ、変化を起こすことができないとの課題は大きい。インドネシアのメラティ・ワイゼンさんも、プラスチック廃棄物の削減が、十分な速さで進んでおらず、フラストレーションとなっていると語っている。危機感の共有はまだ不十分なのだ。

前向きなナラティブ

消費者の選択と若い世代の行動力こそが変革のカギとなるとのメッセージも印象に強く残る。第3部「プラスチック汚染の脅威」において取り上げたトム・ザッキー氏やメラティさんの革新的な活動はまさにそのモデルだ。ザッキー氏は、人々に罪悪感を抱かせることによって行動変容を起こそうとしても長続きはしない。「なぜそれはよいのか」を語るべきだとしている。「もっと美しい容器を」とのメッセージにより、使い捨て容器からの脱却を図るザッキー氏の試みは、とても重要な視点を提起しているのではないだろうか。

ロックストローム博士とティメルマンス氏も前向きなナラティブ、語り口の重要性を強調する。ロックストローム博士は、持続可能な未来は、「最もハイテクで、最も先進的でクールな未来」であり、ネット・ゼロ実現の道はより多くの恩恵をもたらすとのナラティブが説得力をもつと強調している。ティメルマンス氏も、改革への移行が終わるとき、自分たちはよい状況になると信じることができなければ人々は改革に抵抗する、と語る。目指すべきネット・ゼロの世界が、何かを犠牲にしたり、行動の抑制を伴うものとの印象を与えるナラティブでは、多くの人々は変革には参加しないのだ。

誤ったインセンティブ

WFPのデイビッド・ビーズリー事務局長は、十分な情報アクセスや富があるのに私たちは後退している。何か過ちを冒しているのかもしれないと、心情を吐露した。変革を妨げている要因に、多くの誤ったインセンティブが存在している。ハンソン氏は、食料システムの課題として、適切な作物が生産されていない国が多過ぎることを挙げ、政府の補助金が誤ったインセンティブを与えているからだと問題点を指摘した。また、ロックストローム博士も、経済的なインセンティブが誤っているため、地球を破壊する方法で生産する方が、地球環境に優しい方法よりも安上がりになるというパラドックスが生じていると話した。こうした誤ったインセンティブをいかに解消し変革を進めるか、政策が果たす役割は大きい。

2030年に持続可能な地球、持続可能な社会を実現する軌道に乗っているためには、一人ひとりのライフスタイルの変革を含めて、大胆な社会変革を繰り返し続けなければならない。キーパーソンたちのインタビューからは、まだ間に合う、やるべきことは見えているとの強い思いが伝わってくる。この思いを世界全体が共有し、政府、自治体、企業、さまざまな市民組織、そして若い世代を含む一人ひとりが、この変革に参加していくことが求められている。

私たちは、高度成長期に起きた公害のように、目の前の被害や損害にいかに対処すべきかについては、多くの犠牲を伴いながらも学んできた。しかし、いま求められているのは、企業活動や豊かさを求める人々の活動が、時間や空間を遠く超えて地球や人々に被害、損害を与えていないか、与えることにならないかを常に視野に入れることだ。

たとえば、先進国で排出される二酸化炭素による地球温暖化はアフリカや中東、南アジアの飢餓や貧困、そして食料生産の悪化に直結する。そして現在の社会経済システムがこのまま維持されれば、未来の世代は確実に、より深刻な気候危機や水・食料など地球資源が枯渇する状況に直面することになる。ハンソン氏が語ったように、遠くにあると思っている危機を身近に思えるようにしなければならない。その役割をハンソン氏は、教育者とメディアに託す。

２０２１年8月に公表されたＩＰＣＣの最新の報告書は、気温の上昇が今後20年以内に「＋１・５℃」に達する可能性が高いとした。これまでの想定より「＋１・５℃」への到達は早くなったと見られ、残された時間はさらに少なくなったが、なすべきことは科学が示している。

地球上でこの決定的瞬間に生きている私たちは、困難に立ち向かう時代のヒーローになることができる、とのロックストローム博士の言葉が忘れられない。ＳＤＧｓとパリ協定が生まれた２０１５年が人類にとって歴史的な起点だったと記憶され、これからの10年、いや2、3年が、人類が未来に向けた大きな選択を行った年だったと記憶されるようになってほしいと思う。

- I. De Graaf et al., "Environmental Flow Limits to Global Groundwater Pumping," *Nature*, 574(7776), 2019.
- IPBES, *Assessment Report on Land Degradation and Restoration*, 2018, at https://ipbes.net/assessment-reports/ldr
- IPCC, *Climate Change and Land : An IPCC Special Report*, 2019, at https://www.ipcc.ch/srccl/
- L. Rosa et al., "Global Unsustainable Virtual Water Flows in Agricultural Trade," *Environmental Research Letters*, 14(11), 2019.
- M. Mekonnen, and A. Y. Hoekstra, "The Green, Blue and Grey Water Footprint of Animals and Animal Products," UNESCO-IHE Institute for Water Education, 2010.
- OECD and FAO, *OECD-FAO Agricultural Outlook 2021-2030*, 2021, at https://www.oecd-ilibrary.org/agriculture-and-food/oecd-fao-agricultural-outlook-2021-2030_45a21f9e-ja
- P. D'Odorico et al., "Global Virtual Water Trade and the Hydrological Cycle: Patterns, Drivers, and Socio-environmental Impacts," *Environmental Research Letters*, 14(5), 2019.
- S. Motesharrei et al., "Human and Nature Dynamics (HANDY): Modeling Inequality and Use of Resources in the Collapse or Sustainability of Societies," *Ecological Economics*, vol.101, 2014.
- *The Armed Conflict Location & Event Data Project*, at https://acleddata.com/#/dashboard
- *The EAT-Lancet Commission on Food, Planet, Health*, at https://eatforum.org/eat-lancet-commission/
- United Nations, *The Food Systems Summit 2021*, at https://www.un.org/en/food-systems-summit
- V. R. Squires and M. K. Gaur, *Food Security and Land Use Change under Conditions of Climatic Variability: A Multidimensional Perspective*, Springer, 2020.
- WFP, *HungerMap Live*, at https://hungermap.wfp.org/
- World Resources Institute, *Aqueduct Tools*, at https://www.wri.org/aqueduct#aqueduct-tools

第3部　プラスチック汚染の脅威

- 磯辺篤彦『海洋プラスチックごみ問題の真実 マイクロプラスチックの実態と未来予測』DOJIN選書、2020年
- 高田秀重「プラスチック依存社会からの脱却」『世界』2021年3月号所収、岩波書店
- 中石和良『サーキュラー・エコノミー 企業がやるべきSDGs実践の書』ポプラ新書、2020年
- 中嶋亮太『海洋プラスチック汚染 「プラなし」博士、ごみを語る』岩波科学ライブラリー、2019年
- 保坂直紀『海洋プラスチック 永遠のごみの行方』角川新書、2020年
- A. Isobe et. al., "Abundance of Non-conservative Microplastics in the Upper Ocean from 1957 to 2066," *Nature Communications*, vol. 10, 2019.
- I. Peeken et al., "Arctic Sea Ice is an Important Temporal Sink and Means of Transport for Microplastic," *Nature Communications*, vol. 9, 2018.
- J. L. Lavers, I. Hutton and A. L. Bond, "Clinical Pathology of Plastic Ingestion in Marine Birds and Relationships with Blood Chemistry," *Environmental Science & Technology*, 53 (15), 2019.
- P. Alexiadou, I. Foskolos and A. Frantzis, "Ingestion of Macroplastics by Odontocetes of the Greek Seas, Eastern Mediterranean: Often Deadly!" *Marine Pollution Bulletin*, vol. 146, 2019.
- R. Geyer, J.R. Jambeck and K. L. Law, "Production, Use, and Fate of All Plastics Ever Made," *Science Advances*, 3(7), 2017.
- S. B. Borrelle et al., "Predicted Growth in Plastic Waste Exceeds Efforts to Mitigate Plastic Pollution," *Science*, 369 (6510), 2020.

＊URLは2021年8月時点のものです。

主な参考文献

第1部　灼熱の星、地球

- 環境省「気候変動影響評価報告書」2020年
- 環境省パンフレット「勢力を増す台風 我々はどのようなリスクに直面しているのか」 http://www.env.go.jp/earth/tekiou/typhoon2020.pdf
- 気象庁「台風による災害の例」 https://www.jma.go.jp/jma/kishou/know/typhoon/6-1.html
- 京都市「京都市地球温暖化対策計画」 https://www.city.kyoto.lg.jp/kankyo/page/0000000328.html
- J.ロックストローム・M.クルム著、武内和彦・石井菜穂子監修、谷 淳也・森 秀行ほか訳『小さな地球の大きな世界 プラネタリー・バウンダリーと持続可能な開発』丸善出版、2018年
- 自然エネルギー財団「欧州各国・米国諸州の2030年自然エネルギー電力導入目標」2021年 https://www.renewable-ei.org/activities/statistics/trends/20210115.php
- ナショナルジオグラフィック公式日本版「氷床の上の湖が27%も増加、グリーンランド」2019年12月17日配信 https://natgeo.nikkeibp.co.jp/atcl/news/19/121600732/
- IPCC, *Global Warming of 1.5°C : An IPCC Special Report*, 2018, at https://www.ipcc.ch/sr15/
- IPCC, *Sixth Assessment Report*, 2021, at https://www.ipcc.ch/report/ar6/wg1/
- I. Sasgen et al., "Return to Rapid Ice Loss in Greenland and Record Loss in 2019 Detected by the GRACE-FO Satellites," *Communications Earth & Environment*, vol.1, 2020.
- Oxfam International, "Confronting Carbon Inequality," September 21, 2020, at https://www.oxfam.org/en/research/confronting-carbon-inequality
- W. Steffen et al., "Trajectories of the Earth System in the Anthropocene," *PNAS*, 115 (33), 2018.

第2部　飽食の悪夢

- 荏開津典生、鈴木宣弘『農業経済学 第5版』岩波テキストブックス、2020年
- Erik Millstone, Tim Lang著、大賀圭治監訳、中山里美・高田直也訳『食料の世界地図 第2版』丸善出版、2009年
- 沖 大幹『水の未来 グローバルリスクと日本』岩波新書、2016年
- 柴田明夫『食糧危機にどう備えるか 求められる日本農業の大転換』日本経済新聞出版、2012年
- 田中宏隆・岡田亜希子・瀬川明秀著、外村 仁監修『フードテック革命 世界700兆円の新産業 「食」の進化と再定義』日経BP、2020年
- デイビッド・モントゴメリー著、片岡夏実訳『土・牛・微生物 文明の衰退を食い止める土の話』築地書館、2018年
- 農林水産省「食品ロスとは」 https://www.maff.go.jp/j/shokusan/recycle/syoku_loss/161227_4.html
- ポール・ロバーツ著、神保哲生訳『食の終焉 グローバル経済がもたらしたもうひとつの危機』ダイヤモンド社、2012年
- Maggie Black, Jannet King著、沖 大幹監訳、沖 明訳『水の世界地図 第2版』丸善出版、2010年
- マリオン・ネスル著、三宅真季子・鈴木眞理子訳『フード・ポリティクス 肥満社会と食品産業』新曜社、2005年
- ルース・ドフリース著、小川敏子訳『食糧と人類 飢餓を克服した大増産の文明史』日本経済新聞出版社、2016年
- FAO, "FAO Big Data Tool on Covid-19 Impact on Food Value Chains," at http://www.fao.org/datalab/website/web/covid19
- FAO, *The State of Food and Agriculture 2019*, at http://www.fao.org/state-of-food-agriculture/2019/en
- FAO, *The State of Food Security and Nutrition in the World 2021*, at http://www.fao.org/publications/sofi/2021/en/
- *Food system shock: The Insurance Impacts of Acute Disruption to Global Food Supply*, Lloyds Emerging Risk Report – 2015.

第2回／飽食の悪夢 水・食料クライシス

（2021年2月7日放送）

インタビュアー	国谷裕子
語り	井上裕貴
声の出演	81プロデュース

〈ドキュメンタリーパート〉

撮影	中島将護
音声	髙橋正吾、森 徹雄
リサーチャー	山田功次郎
コーディネーター	小杉美樹
取材	Kamel Bitar、繁昌久美
VFX	中川貴史
CG制作	谷村琢磨、渡邉由紀
映像技術	舞出清和
音響効果	東谷 尚
編集	榎戸一夫
ディレクター	岡田朋敏、吉岡礼美
制作統括	三村忠史、松木秀文

第3回／プラスチック汚染の脅威 大量消費社会の限界

（2021年2月28日放送）

語り・インタビュー	井上裕貴
声の出演	81プロデュース

〈ドキュメンタリーパート〉

撮影	渡邊雅己
音声	髙橋正吾、庄司光一
リサーチャー	Yip Jun Huei、桂ゆりこ、Bettina Post-Kobayashi、箕輪洋一、崎原民子、樋口伊裕
コーディネーター	小西彩絵子、早崎宏治、萩島早苗
VFX	中川貴史
CG制作	渡邉由紀、谷村琢磨
編集	森本正則
音響効果	吉川陽章
映像技術	松島史明
ディレクター	三木健太郎、苅田 章
制作統括	中井暁彦、松木秀文

NHKスペシャル 2030 未来への分岐点
〈Season 1〉

出演	森 七菜
未来からの声	中村 蒼
テーマ音楽	「2992」millennium parade／曲:常田大希　詞:ermhoi
タイトル映像	Whatever

〈ドラマパート〉

技術	大西知子
撮影	渡邊雅己、野口 喬、森口大督
照明	斗舛真二
音声	井手一郎
映像デザイン	服部竜馬
美術	清水美代子
VFX	比嘉 了、松田和己、岩上貴士、佐々木謙太
CG制作	尹 剛志、杉浦麻希子、石井優樹
取材	亀井昌子
演出	前田芳秀、水井 翔
ディレクター	日景千秋、森内貞雄
プロデューサー	伊達吉克

第1回／暴走する温暖化 “脱炭素”への挑戦
（2021年1月9日放送）

インタビュアー	国谷裕子
語り	井上裕貴
声の出演	青二プロダクション、坂上未樹

〈ドキュメンタリーパート〉

撮影	牟田俊大
音声	小山道夫、髙橋正吾
VFX	藤尾美之
CG制作	秋元純一、渡邉由紀
リサーチャー	桂ゆりこ
コーディネーター	カトリン・ヒスキー
取材	早崎宏治
映像技術	野村聖史
音響効果	吉川陽章
編集	藤田 源
ディレクター	山下健太郎、立花江里香
プロデューサー	堅達京子
制作統括	松木秀文、夜久恭裕

■ **松木秀文** まつき・ひでふみ〈はじめに〉

NHK大型企画開発センター チーフ・プロデューサー。1998年、NHK入局。静岡局、広島局、沖縄局などを経て現職。現在、NHKスペシャルの大型シリーズを中心に番組制作にあたる。

■ **山下健太郎** やました・けんたろう〈第1部〉

NHK大型企画開発センター ディレクター。2006年、NHK入局。現在、エネルギー・環境分野を中心にNHKスペシャルなどの番組制作を行う。主な担当番組にクローズアップ現代+「16歳の少女が訴える温暖化非常事態」など。

■ **岡田朋敏** おかだ・ともはる〈第2部〉

NHK仙台拠点放送局 シニアディレクター。1997年、NHK入局。科学と文明の行方をテーマに番組を制作。主な担当番組にNHKスペシャル「立花隆 思索ドキュメント がん 生と死の謎に挑む」「グーグル革命の衝撃」「ネクストワールド 私たちの未来」「神の数式」など。

■ **三木健太郎** みき・けんたろう〈第3部〉

NHK大型企画開発センター ディレクター。2010年、NHK入局。現在、サイエンス分野を中心にNHKスペシャルなどの番組制作を行う。主な担当番組にNHKスペシャル「"ゴースト血管"が危ない」「"パンデミック"との闘い」など。

■ **国谷裕子** くにや・ひろこ〈インタビュアー／特別寄稿〉

ジャーナリスト。1993年から2016年まで、NHK「クローズアップ現代」のキャスターを務める。現在は、SDGsについての取材・啓発を中心に活動を続けている。FAO（国連食糧農業機関）親善大使、自然エネルギー財団理事。2002年に菊池寛賞、2011年に日本記者クラブ賞、2016年にギャラクシー賞特別賞を受賞。著書に『キャスターという仕事』（岩波新書）。

装幀	小口翔平＋奈良岡菜摘（tobufune）
インタビュー構成	加藤裕子
図版作成	手塚貴子
校閲	竹内春子（東京出版サービスセンター）
DTP	滝川裕子
編集協力	太宰光子

2030 未来への分岐点 I

持続可能な世界は築けるのか

2021年9月25日　第1刷発行

編著者　NHKスペシャル取材班
©2021 NHK
発行者　土井成紀
発行所　NHK出版
〒150-8081 東京都渋谷区宇田川町41-1
電話 0570-009-321(問い合わせ)　0570-000-321(注文)
ホームページ https://www.nhk-book.co.jp
振替 00110-1-49701
印刷　三秀舎、大熊整美堂
製本　ブックアート

乱丁・落丁本はお取り替えいたします。定価はカバーに表示してあります。
本書の無断複写(コピー、スキャン、デジタル化など)は、
著作権法上の例外を除き、著作権侵害となります。
Printed in Japan
ISBN 978-4-14-081873-2 C0036